U0239970

# 本草品汇精要 ③

〔明〕刘文泰 等／撰
曹 晖／校注

北京科学技术出版社

**图书在版编目（CIP）数据**

本草品汇精要．3／（明）刘文泰等撰；曹晖校注．—北京：北京科学技术出版社，2019.10

ISBN 978-7-5714-0218-1

Ⅰ．①本… Ⅱ．①刘… ②曹… Ⅲ．①本草—中国—明代②《本草品汇精要》—研究 Ⅳ．①R281.3

中国版本图书馆 CIP 数据核字（2019）第 048409 号

**本草品汇精要3**

---

**校　　注：**曹　晖
**责任编辑：**侍　伟　李兆弟　董桂红　吕　艳
**责任校对：**贾　荣
**责任印制：**李　茗
**封面设计：**蒋宏工作室
**图文制作：**樊润琴
**出 版 人：**曾庆宇
**出版发行：**北京科学技术出版社
**社　　址：**北京西直门南大街16号
**邮政编码：**100035
**电话传真：**0086-10-66135495（总编室）
0086-10-66113227（发行部）　0086-10-66161952（发行部传真）
**电子信箱：**bjkj@bjkjpress.com
**网　　址：**www.bkydw.cn
**经　　销：**新华书店
**印　　刷：**北京捷迅佳彩印刷有限公司
**开　　本：**787mm × 1092mm　1/16
**字　　数：**459千字
**印　　张：**38.5
**版　　次：**2019年10月第1版
**印　　次：**2019年10月第1次印刷
ISBN 978-7-5714-0218-1/R · 2609

---

**定　　价：980.00元**

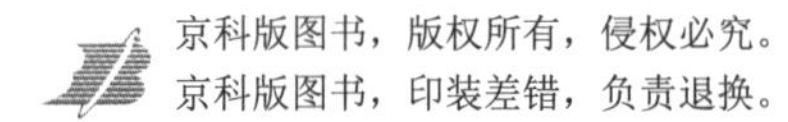

# 目录

## 本草品汇精要卷之十六



## 本草品汇精要卷之十七

## 本草品汇精要卷之十八

## 本草品汇精要卷之十九

## 本草品汇精要卷之二十

## 本草品汇精要卷之二十一

## 本草品汇精要卷之二十二



## 本草品汇精要卷之二十三

# 本草品汇精要

## ·卷之十五·

# 草　部
## 下品之下

| | |
|---|---|
| 三种 | 神农本经 朱字 |
| 六种 | 名医别录 黑字 |
| 九种 | 唐本先附 注云唐附 |
| 二十三种 | 宋本先附 注云宋附 |
| 一十一种 | 陈藏器余 |

已上总五十二种，内二十八种今增图

胡芦巴宋附　木贼宋附　荩[1]草今增图
蒲公草唐附　谷精草宋附　牛扁
苦芙[2]今增图　酢浆草唐附　昨叶何草唐附，今增图
蒻头宋附　夏枯草　燕蓐草宋附，今增图
鸭跖草宋附，今增图　山慈菇宋附，今增图　苘[3]实唐附
赤车使者唐附，今增图　狼跋子今增图　屋游今增图
地锦草[4]宋附　败船茹[5]今增图　灯心草宋附，今增图
五毒草宋附，今增图　鼠曲草宋附，今增图　列当宋附，今增图
马勃今增图　屐[6]屧[7]鼻绳灰[8]唐附，今增图
质汗宋附，今增图　水蓼唐附，今增图　莸草宋附，今增图
败芒箔宋附，今增图　狗舌草唐附，今增图　海金沙宋附
萱草根[9]宋附，花、苗附　格注草唐附，今增图　鸡窠中草宋附
鸡冠子宋附，今增图　地椒宋附，今增图　草三棱宋附，今增图
合明草宋附，今增图　鹿药宋附，今增图　弓弩弦今增图

① 荩：原注“音烬”。
② 芙：原注“音袄”。
③ 苘：原注“音顷”。
④ 草：原无，据正文药名补。
⑤ 茹：原注“音如”。
⑥ 屐：原注“音剧”。
⑦ 屧：原注“音燮”。
⑧ 灰：原无，据正文药名补。
⑨ 根：原无，据正文药名补。

一十一种陈藏器余

# 本草品汇精要卷之十五

## 草部下品之下

### ○ 草之草

## 胡芦巴

无毒　植生

胡芦巴主元脏虚冷气。

名医所录。

**名** 苦豆、望江南。

**苗** 〔图经曰〕春生苗，茎高四五尺，叶叶对生如槐。夏开黄花，五出，随作荚如蚕豆，其实似莱菔子而扁，采之以供茶食。人家庭院植之为玩，谓之望江南。今市者俱岭南所产，入药然不及舶上来者为真。《本经》不注，唐以前方书亦不见用是，盖出之甚近也。〔别录云〕或云胡芦巴，番萝卜子也。当附芦菔之次，世俗相传，未知审的。又补骨脂，徐表《南州记》云是韭子也，亦不附于菜部，是相例也。

**地** 〔图经曰〕出海南诸蕃，岭南、广州、黔州、河南。〔道地〕舶上者佳。

**时** 〔生〕春生苗。〔采〕七月取。

**收** 日干。

**用** 子。

**质** 类莱菔子，有棱而扁。

**色** 淡黄。

**味** 苦。

**性** 温，泄。

**气** 气厚于味，阳中之阴。

**臭** 香。

**主** 膀胱冷气。

**制** 研碎用。

**合治** 合附子、硫黄，治肾虚冷，腹胁胀满，面色青黑。○合茴香子、桃仁，治膀胱冷气，甚效。惟桃仁麸炒各等分，半以酒糊丸，半以为散，每服五七十丸，空心食前盐酒任下散，以热米饮调下，与丸子相间服之，日各一二服，瘥。

**禁** 妊妇勿服，服之令儿矮。

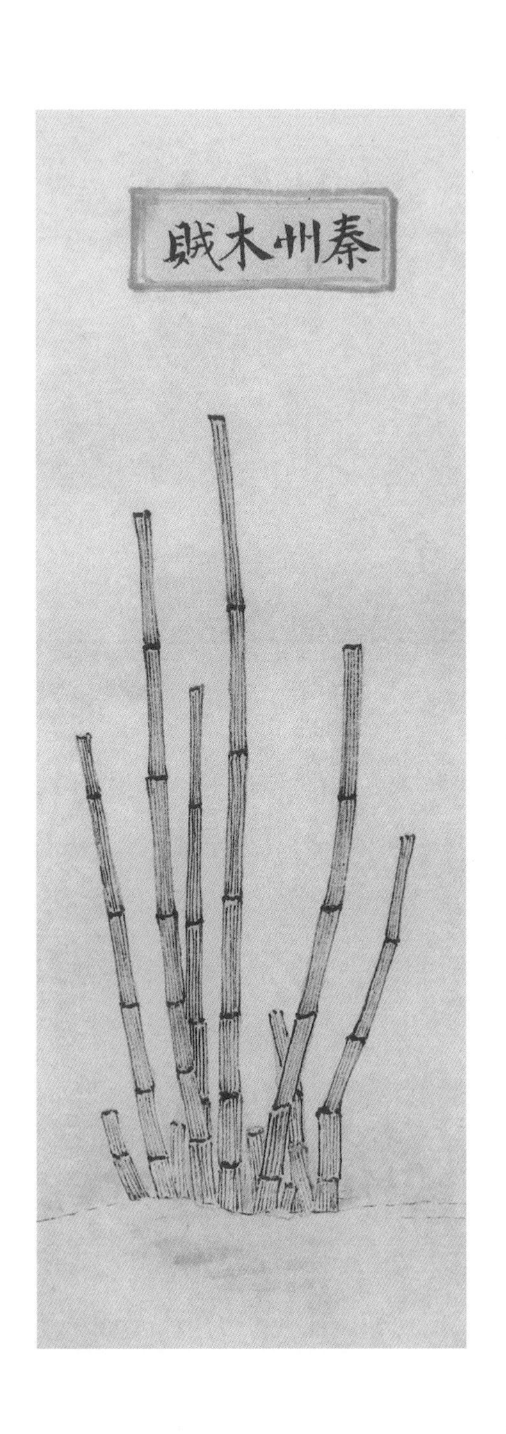


# 木贼

无毒　丛生

木贼主目疾，退翳膜，又消积块，益肝胆，明目，疗肠风，止痢及妇人月水不断。名医所录。

**苗**〔图经曰〕从生，苗如前箭笴长，二三尺，色青而无花叶，每根一干，寸寸有节，其纹直而甚利，凌冬不凋。

**地**〔图经曰〕生秦陇、同华诸郡，山谷近水地有之。〔道地〕秦州。

**时**〔生〕春生苗。〔采〕四月取。

**收** 暴干。

**用** 茎。

**色** 青。

**味** 甘、微苦。

**性** 平，缓。

**气** 气之薄者，阳中之阴。

**臭** 朽。

**主** 明目退翳。

**制** 去节，剉，以水润湿，火上烘用。

**治**〔疗〕〔衍义曰〕治小肠膀胱气，细剉，炒捣为末，食前沸汤点二钱，缓缓服之，必效。〔别录云〕治泻血不止，以木贼十二分，切碎，用水一升八合，煎取八合，去滓，空心温分二服。如人行五里，再服之。

**合治** 合牛角鳃、麝香，治休息痢，日久不瘥。○合禹余粮、当归、芎䓖，治崩中赤白。○合槐鹅、桑耳，治肠风下血。○合槐子、枳实，治痔疾出血。○合枳壳各二两，干姜一两，大黄一分，四味煎剉一处，于铫子内炒黑色，存三分性，捣罗为末，温粟米饮调，食前服一钱匕，治肠痔下血多年不瘥。

○ 草之草

# 荩草

无毒　丛生

荩[1]草主久咳，上气喘逆，久寒，惊悸，痂疥，白秃，疡气，杀皮肤小虫。神农本经。

① 荩：原注“音烬”。

**名** 绿蓐草、王刍、鸱脚沙、鹿蓐。

**苗** 〔唐本注云〕此草叶似竹而细薄，茎亦圆小，生平泽溪涧之侧。荆襄人煮以染黄作金色，极鲜彩。《诗·卫风》云：瞻彼淇澳，绿竹猗猗是也。

**地** 〔图经曰〕生青衣川谷。〔唐本注云〕生平泽溪涧之侧。〔道地〕荆襄。

**时** 〔生〕春生苗。〔采〕九月、十月取。

**用** 茎、叶。

**质** 类竹而细小。

**色** 青绿。

**味** 苦。

**性** 平，泄。

**气** 味厚于气，阴中之阳。

**主** 杀虫。

**反** 畏鼠妇。

**治** 〔疗〕〔唐本注云〕洗诸疮。〔药性论云〕治一切恶疮。

# 蒲公草

无毒　植生

蒲公草主妇人乳痈肿，水煮汁饮之，及封之，立消。名医所录。

**名** 构耨草、蒲公英、地丁。

**苗** 〔图经曰〕春初生苗，叶如苦苣，有细刺，中心抽一茎，茎端出一花，色黄如金钱。断其茎，有白汁出，人亦啖之。〔衍义曰〕蒲公草，今地丁也。四时常有花如菊，花罢飞絮，絮中有子，落处即生。所以庭院间亦有者，盖因风而来也。

**地** 〔图经曰〕旧不著所出州土，今处处平泽、田园皆有之。

**时** 〔生〕春生苗。〔采〕四月、五月取。

**收** 暴干。

**用** 根、茎。

**色** 青绿。

**味** 甘。

**性** 平，缓。

**气** 气之薄者，阳中之阴。

**主** 乳痈，疮肿。

**治** 〔疗〕〔图经曰〕捣傅诸疮及恶刺、狐尿刺，摘取根茎白汁涂之，惟多涂立瘥。〔别录云〕治产后不乳儿，蓄[①]积乳汁，结作痈毒，取此草捣傅肿上，日三四度易之，即瘥。

---

① 蓄：原作“畜”，据文义改。

# 谷精草

无毒 植生

谷精草主疗喉痹，齿风痛及诸疮疥。饲马，主虫颡毛焦等病。名医所录。

名 戴星草。

苗〔图经曰〕春生于谷田中，叶干俱青，根花并白色。一名戴星草，以其叶细花白而小圆似星，故以名尔。又有一种茎梗差长有节，根微赤，出秦陇间，古方稀有，今口齿药中多用之。

地〔图经曰〕旧不载所出州土，今处处有之。〔道地〕江宁、秦州。

时〔生〕春生苗。〔采〕二月、三月取。

收 阴干。

用 苗、叶。

色 青。

味 辛。

性 温。

气 气之厚者，阳也。

臭 香。

主 口齿风痛。

治〔疗〕〔别录云〕治偏正头风痛，以谷精草一两为末，用白面调，摊纸花上，贴痛处，干即易之。

# 牛扁

无毒　丛生

牛扁[①]主身皮疮热气，可作浴汤。杀牛虱小虫，又疗牛病。神农本经。

① 扁：原注“音褊”。

**名** 扁特、扁毒。

**苗** 〔图经曰〕叶似三堇、石龙芮等，根如秦艽而细，多生平泽下湿地，即苏恭注云：太常贮，名扁特是也。今潞州一种名便特，六月有花，八月结实，根苗主疗大都相似，疑此即是牛扁，但扁、便不同，其亦声近而讹乎。

**地** 〔图经曰〕出桂阳川谷，今宁州亦有之。〔道地〕潞州。

**时** 〔生〕春生苗。〔采〕二月、八月取根。

**收** 日干。

**用** 根、叶。

**色** 青绿。

**味** 苦。

**性** 微寒，泄。

**气** 气薄味厚，阴也。

**臭** 朽。

**主** 洗热疮。

**合治** 根捣末，合油调傅，杀虮虱。

○ 草之草

# 苦芙

无毒　植生

苦芙[①]主面目、通身漆疮。名医所录。

① 芙：原注“音袄”。

**苗**〔蜀本图经云〕子若猫蓟，茎圆无刺，其苗五月采之，堪以生啖，而今人以为漏芦，非也。

**地**〔蜀本图经云〕生所在下湿地。〔陶隐居云〕处处有之。

**时**〔生〕春生苗。〔采〕五月五日取茎。

**收** 暴干。

**用** 茎。

**色** 绿。

**味** 苦。

**性** 微寒，泄。

**气** 气薄味厚，阴也。

**主** 漆疮，丹毒。

**制** 烧灰或生用。

**治**〔疗〕〔陶隐居云〕烧作灰，傅金疮。〔食疗云〕生食治漆疮，或烧灰傅患处。

**禁** 不堪多食。

# 酢浆草

无毒 丛生

酢浆草主恶疮㾉瘘，捣傅之，杀诸小虫。

名医所录。

名 酸浆、醋母草、鸠酸草、小酸茅。

苗 〔图经曰〕叶如水萍，丛生，茎端有三叶，叶间生细黄花，实黑。其叶初生嫩时，小儿多食之。南人用揩鍮石器，令白如银。

地 〔图经曰〕旧不载所出州土，但云生道傍。今南中下湿地及人家园圃中多有之，北地亦或有生者。

时 〔生〕春生苗。〔采〕四月、五月取叶。

收 阴干。

用 叶。

质 类水萍。

色 青绿。

味 酸。

性 寒，收。

气 气薄味厚，阴也。

臭 腥。

主 疮瘘，热渴。

制 捣碎用。

# 昨叶何草

无毒　丛生

昨叶何草主口中干痛，水谷，血痢，止血。

名医所录。

**名** 瓦松。

**苗** 〔唐本注云〕初生叶似蓬，高尺余，生年久瓦屋上，远望如松，故名瓦松。

**地** 〔图经曰〕生上党屋上，今处处有之。

**时** 〔生〕春生苗。〔采〕六月、七月。

**收** 日干。

**用** 苗。

**色** 青绿。

**味** 酸。

**性** 平，收。

**气** 味厚于气，阴中之阳。

**臭** 腥。

**治** 〔疗〕〔唐本注云〕生眉发，膏中为要。〔别录云〕治头风白屑，烧灰淋汁，热洗头，不过五七度，瘥。

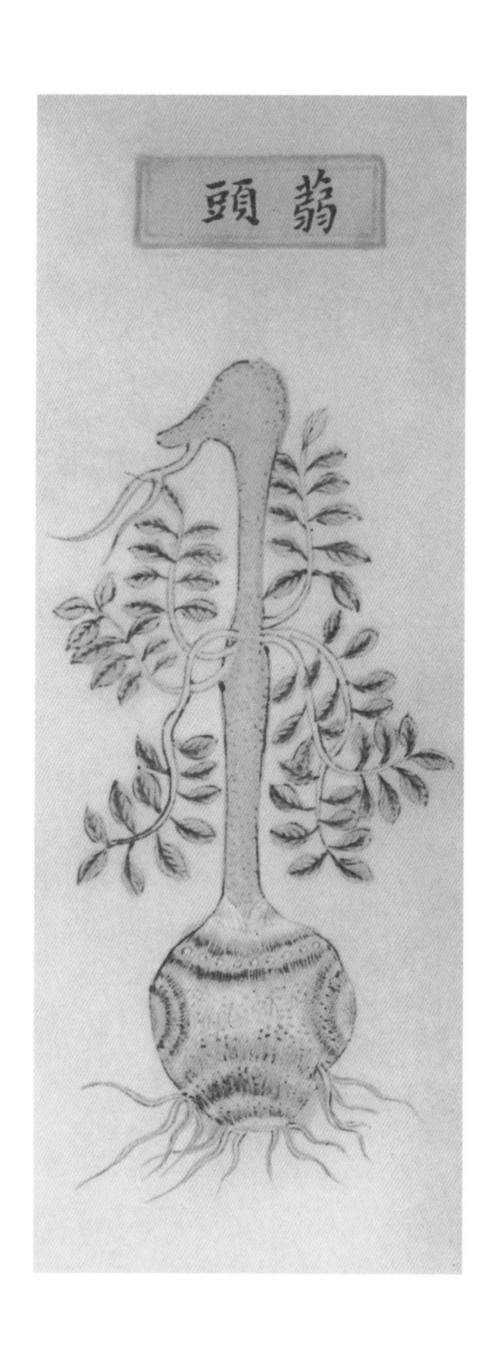


# 蒻头

无毒 植生

蒻[1]头主痈肿风毒，磨傅肿上。捣碎，以灰汁煮成饼，五味调和为茹食，性冷，主消渴，生戟人喉出血。名医所录。

① 蒻：原注“音弱”。

名 蒟[1]蒻。

苗〔图经曰〕春生苗，高一二尺，茎似由跋而有斑，叶亦似由跋、半夏，根大如碗。生阴地，而雨滴叶下生子，名蒟蒻。又有斑杖苗相似，斑杖即虎杖也。至秋有花直出，生赤子。其根傅痈肿毒甚好，根亦如蒻头，但毒猛，不堪食。又云如天南星，夏开花，似蛇头，黄色，秋结子，作穗，似石榴子，红色，根似芋而圆，采者当辨之，但茎斑花紫者，乃是蒟蒻也。又有白蒟蒻，亦曰鬼芋根，都似天南星，但南星小，柔腻肥，细炮之易制，差可辨尔。

地〔图经曰〕生江南吴蜀阴地。〔道地〕扬州。

时〔生〕春生苗。〔采〕二月、八月取根。

收 日干。

用 根。

质 类芋头。

色 黑白。

味 辛。

性 寒，散。

气 气之薄者，阳中之阴。

臭 腥。

主 消肿毒。

制 捣碎，或磨汁用。

禁 生不可食，戟人咽喉出血。

赝 斑杖根为伪。

---

① 蒟：原注“音矩”。

# 夏枯草

无毒　植生

夏枯草主寒热，瘰疬，鼠瘘，头疮，破癥，散瘿，结气，脚肿，湿痹，轻身。神农本经。

**名** 夕句、乃东、燕面、郁臭。

**苗** 〔图经曰〕冬至后生，叶似旋覆，三月、四月开花，作穗，紫白色，似丹参花，结子亦作穗，至五月枯。〔衍义曰〕今又谓之郁臭，自秋便生，经冬不瘁，春开白花，中夏结子遂枯。初生嫩时，须浸洗，淘去苦水，作菜食之。

**地** 〔图经曰〕生蜀郡川谷，今河东、淮、浙[①]州郡亦有之。〔唐本注云〕生平泽，处处有之。

**时** 〔生〕冬至后生苗。〔采〕四月取茎、叶。

**收** 日干。

**用** 茎、叶。

**质** 叶似旋覆而短。

**色** 绿。

**味** 苦、辛。

**性** 寒，泄。

**气** 气薄味厚，阴中之阳。

**臭** 香。

**主** 瘰疬，鼠瘘。

**助** 土瓜为之使。

**治** 〔疗〕〔衍义曰〕烧灰，合紧面药。

**合治** 夏枯草半两，合香附子一两，共为末，每服一钱匕，无时候用，腊茶调服，治肝虚目睛疼，冷泪不止，筋脉痛及眼羞明，怕日。

---

① 浙：原作“淛”，据科本改。

○ 草之草

# 燕蓐草

无毒

燕蓐草主眠中遗溺不觉，烧令黑，研水进方寸匕，亦主哕气。

名医所录。

**收** 日干。

**用** 燕窠中者。

**主** 遗溺，恶疮。

**制** 去沙土并毛，烧令黑用。

**治**〔疗〕〔孙真人云〕卒患腰恶疮，若先发于心，已有汗者，以胡燕窠为末，水涂之；若治迟，遍身即害人死。〔别录云〕妇人无故尿血，以胡燕窠中草烧末，酒服半钱，亦治丈夫。

# 鸭跖草

无毒　植生

鸭跖草主寒热瘴疟，痰饮疔肿，肉癥涩滞，小儿丹毒，发热狂痫，大腹痞满，身面气肿，热痢，蛇犬咬，痈疽等毒。名医所录。

**名** 跖、鸡舌草、碧竹子、鼻斫草。

**苗** 〔图经曰〕叶如竹，高一二尺，花深碧有角如鸟嘴，北人呼为鸡舌草，亦名鼻斫草，吴人呼为跖，盖跖、斫声相近也。又名碧竹子，花好为色。

**地** 〔图经曰〕生江东淮南平地北地，吴中亦有之。

**时** 〔生〕春生苗。〔采〕夏月取茎、叶。

**收** 阴干。

**用** 茎、叶。

**色** 绿。

**味** 苦。

**性** 大寒，泄。

**气** 气薄味厚，阴也。

**臭** 朽。

**主** 去热毒，消痈疽。

**合治** 合赤小豆煮服，下水气湿痹，利小便。

# 山慈菇

有小毒　植生

山慈菇主痈肿疮瘘，瘰疬结核等，醋磨傅之。亦剥人面皮，除皯。名医所录。

名 金灯花、鹿蹄草。

苗 〔图经曰〕春生苗，叶似车前，根如慈菇。零陵间又有团慈菇，根似小蒜，所主与此略同。

地 〔图经曰〕生山中湿地及零陵间。〔道地〕吴中者佳。

时 〔生〕春生苗。〔采〕八月取根。

收 日干。

用 根。

质 类榛子仁而极大。

色 白。

味 甘。

性 平，缓。

气 气厚于味，阳中之阴。

臭 朽。

主 痈肿，疮毒。

制 剥去毛絮。

合治 茎叶捣为膏，和蜜贴疮肿，候疮口有清血出，效。

○ 草之木

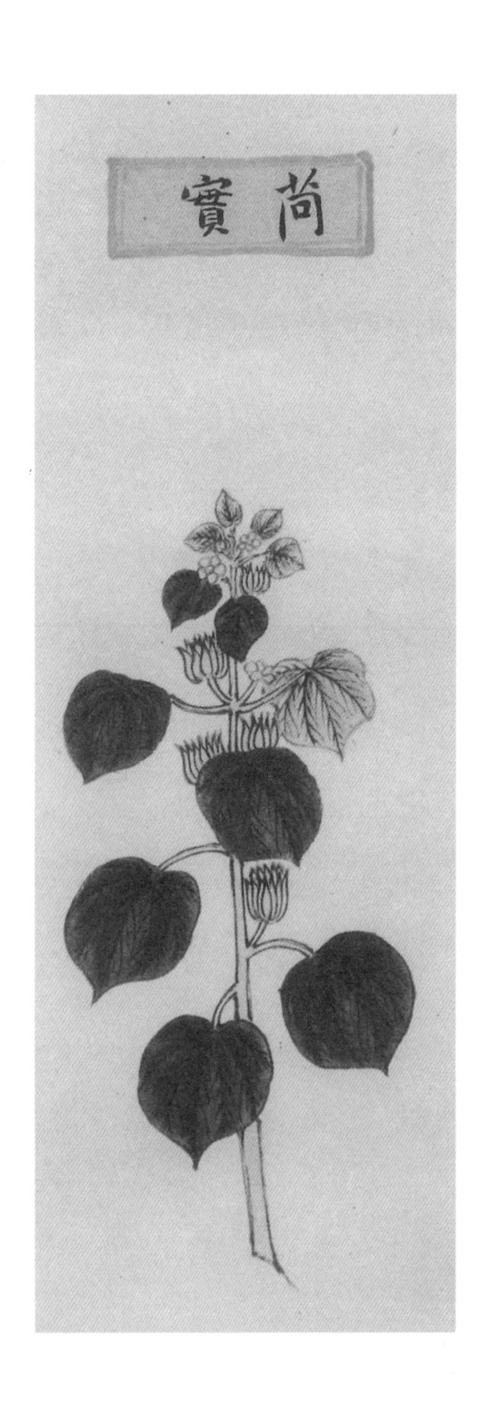


# 苘实

无毒　植生

苘[1]实主赤白冷热痢，散服饮之，吞一枚，破痈肿。名医所录。

① 苘：原注“音顷”。

**苗**〔图经曰〕茎高六七尺，叶似苎而薄，花黄，实带壳，如蜀葵中子，黑色。今人种之，以绩布及打绳索，是此也。古方亦有用根者。

**地**〔图经曰〕旧不载所出州土，今处处有之。

**时**〔生〕春生苗。〔采〕八月、九月、十月取实。

**收** 阴干。

**用** 实。

**质** 类大麻子。

**色** 黑。

**味** 苦。

**性** 平，泄。

**气** 味厚于气，阴中之阳。

**臭** 香。

**治**〔疗〕〔唐本注云〕热结痈肿无头者，吞之则头易穴。

**合治** 以一两炒令香熟为末，合蜜浆调服一钱，治赤白痢，不瘥再服。

# 赤车使者

有毒　丛生

赤车使者主风冷邪疰，蛊毒，癥瘕，五脏积气。名医所录。

名 小锦枝。

苗〔唐本注云〕苗似香茅及兰香叶，其茎赤而根紫赤色也。

地〔蜀本云〕出荆州、襄州山谷。〔唐本注云〕生溪谷之阴。

时〔生〕春生苗。〔采〕二月、八月、九月取根。

收 日干。

用 根。

色 紫赤。

味 辛、苦。

性 温，散。

气 气厚味薄，阳中之阴。

臭 朽。

主 恶风冷气。

制〔雷公云〕凡使，并粗捣，用七岁童子小便拌了，蒸令干更晒。每修事五两，用童便一镒为度。

治〔补〕〔药性论云〕悦泽皮肌，好颜色。

合治 合酒浸服之，治大风湿痹。

○ 草之走

# 狼跋子

有小毒　蔓生

狼跋子主恶疮疠疥，杀虫鱼。名医所录。

**名** 黄环子、度谷、就葛。

**苗**〔陶隐居云〕其苗春生，作蔓，花紫色，而实形扁。杂米捣为饵，投水中，鱼无大小皆浮出而死。今京下呼为黄环子，亦谓度谷，又名就葛。〔唐本注云〕今交广送入太常，正是黄环子，非他物也。

**地**〔陶隐居云〕出交广。

**时**〔生〕春生苗。〔采〕秋取实。

**收** 日干。

**用** 实。

**味** 苦。

**性** 寒，泄。

**气** 气薄味厚，阴也。

**臭** 朽。

**合治** 合苦酒磨，治疥。

草之草

# 屋游

无毒　丽生

屋游主浮热在皮肤，往来寒热，利小肠膀胱气。名医所录。

**名** 昔邪。

**苗** 〔陶隐居云〕此古瓦屋上青苔衣也。陆龟蒙《苔赋》云：高有瓦松，卑有泽葵，散岩窦者有石发。补空田者曰垣衣，在屋曰昔邪，在药曰陟釐。昔邪即屋游也。然所产虽异，主疗则同，皆由积阴而生于瓦石尔，故推类而言之。

**地** 〔图经曰〕生屋上阴处。

**时** 〔生〕春夏。〔采〕八月、九月取。

**收** 阴干。

**用** 苔。

**质** 类垣衣。

**色** 绿。

**味** 甘。

**性** 寒，缓。

**气** 气之薄者，阳中之阴。

**臭** 朽。

**主** 清热止渴。

**制** 剥取，净洗服。

**治** 〔疗〕〔别录云〕主小儿痫热，时气烦闷，止渴。

草之草

# 地锦草

无毒　蔓生

地锦草主通流血脉，亦可用治气。名医所录。

苗〔图经曰〕茎叶细弱，蔓延于地，茎赤，叶青紫色，夏中茂盛，六月开红花，结细实。《经》云：络石条中注有地锦，是藤蔓之类，虽与此名同而其类全别。

地〔图经曰〕近道田野中有之。〔道地〕滁州者尤良。

时〔生〕春生苗。〔采〕夏月取。

收 暴干。

用 苗、子。

色 紫赤。

味 辛。

性 温，散。

气 气之厚者，阳也。

臭 朽。

主 调气和血。

合治 为末，和米饮调下二钱，治脏毒赤白。

# 败船茹

败船茹主妇人崩中，吐痢，血不止。名医所录。

**地**〔陶隐居云〕此是大輴[①]牏[②]刮竹茹捏[③]漏处者，今处处有之。

**收** 日干。

**用** 茹。

**性** 平。

**气** 气之薄者，阳中之阴。

**臭** 朽。

**制** 煮之，或烧作屑用。

**合治** 船故茹为末，合酒调服，疗妇人遗尿不知出。○船中故竹茹干末，合酒调三钱匕，日三服，疗无故遗血溺。

---

① 輴：原注“步典切”。
② 牏：原注“他盍切”。
③ 捏：原注“直萌切”。

○ 草之草

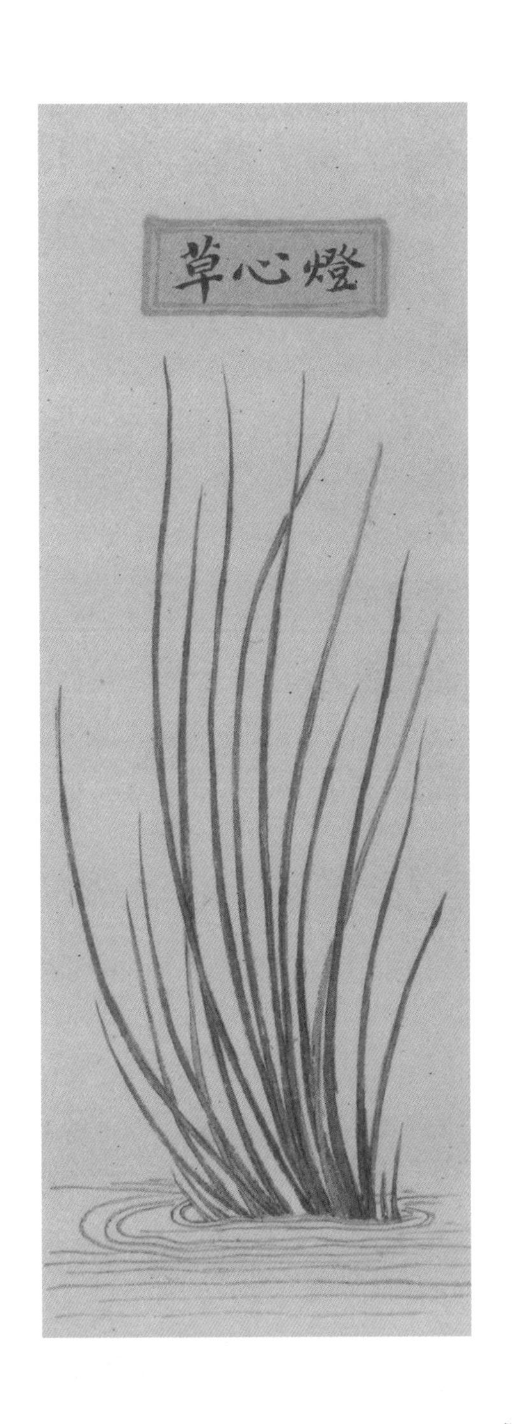


# 灯心草

无毒　丛生

灯心草根及苗主五淋，生煮服之。人将为席，败席煮服更良。名医所录。

苗〔图经曰〕茎圆细而长直，土人亦将为席。〔衍义曰〕陕西亦有蒸熟，干则拆取中心穰燃灯者，谓之熟草。又有不蒸但生干剥取者，谓之生草，入药宜用生者。〔谨按〕灯心草莳田泽中，圆细而长直，有杆无叶，南人夏秋间采之，剥皮以为蓑衣，其心能燃灯，故名灯心草。由其性味淡渗，故有利水之功，而《本经》乃言为席，非也。其席草亦产江南，形比灯心草细而短，自是一种，实非此类也。若然席草亦可去皮而燃灯乎。

地〔图经曰〕生江南泽地。〔衍义曰〕陕西亦有之。

时〔生〕春生苗。〔采〕六月、七月取。

收 暴干。

用 根及苗、心。

质 类席草肥长而轻虚。

色 白。

味 甘。

性 寒，缓。

气 气之薄者，阳中之阴。

臭 朽。

主 通心窍，利水道。

制 剥去皮用。

治〔疗〕〔别录云〕治小儿夜啼，以灯心烧灰，涂乳上与儿服之。又治破伤，多用灯心草烂嚼，和唾贴之，以帛裹，血立止。

合治 灯心浸油，钓小虫蚁入耳挑不出者。

# 五毒草

无毒　植生

五毒草根主痈疽恶疮，毒肿，赤白游疹，虫蚕蛇犬咬，并醋磨傅。亦捣茎叶傅之，恐毒入腹，亦煮服之。名医所录。

**名** 五葴[①]、蛇网[②]。

**苗** 〔图经曰〕花叶如荞麦，根紧硬似狗脊。又别有蚕网[③]草，如苎麻，与葴同名也。

**地** 〔图经曰〕生江东平地。

**时** 〔生〕春生苗。〔采〕夏秋取。

**收** 日干。

**用** 根、茎、叶。

**色** 绿。

**味** 酸。

**性** 平，收。

**气** 气之薄者，阳中之阴。

**臭** 腥。

**主** 痈肿，虫毒。

**制** 醋磨或捣碎用。

---

① 葴：原注“俎及切”。

② 网：原作“罔”，据药名改。

③ 网：原作“罔”，据药名改。

# 鼠曲草

无毒 植生

鼠曲草主调中益气，止泄除痰，压时气，去热嗽。名医所录。

**名** 香茅、鼠耳草。

**苗**〔图经曰〕春生苗，高尺余，叶有白毛，开黄花。采之，以杂米粉作糗，食之甜美。山南人呼为香茅，取花杂榉皮染褐，至破犹鲜，江西人呼为鼠耳草也。

**地**〔图经曰〕生江西山南平冈熟地。

**时**〔生〕春生苗。〔采〕三月三日取。

**收** 日干。

**用** 花、实。

**色** 青绿。

**味** 甘。

**性** 平，缓。

**气** 气之薄者，阳中之阴。

**臭** 香。

**合治**〔荆楚岁时记云〕三月三日取汁，蜜和为粉，谓之龙舌料，以压时气。

# 列当

无毒　丽生

列当主男子五劳七伤，补腰肾，令人有子，去风血，煮及浸酒服之。名医所录。

名 栗当、草苁蓉。

苗〔谨按[1]〕茎圆，紫色，根如藕。根初生，长五六寸至一尺以来。四月中旬掘取之，名草苁蓉，压令扁以代肉者。一种锁阳，味甘，丹溪云：补阴气，治虚，大便燥结者用之，虚而大便不燥结者，勿用。亦以代苁蓉也。今考之二种，形色气味及可互相代用，恐一物而异其名乎？附见于此，以备参用。

地〔图经曰〕生南山岩石上。〔蜀本云〕出原州、秦州、灵州皆有之。

时〔生〕春生苗。〔采〕四月中旬取根。

收 阴干。

用 根。

色 紫。

味 甘。

性 温，缓。

气 气之厚者，阳也。

臭 腥。

主 补劳益肾。

制 洗净煮或浸酒。

合治 二斤为末，以酒一斗浸经宿，遂性饮之，主兴阳事。

---

① 谨按：原作“图经曰”，据《证类本草》无此内容，且引文中有朱丹溪语，当为本书作者新增，因据改。

# 马勃

无毒

马勃主恶疮，马疥。

名医所录。

名 马庀、马𬍤勃、马屁菌。

苗〔蜀本图经曰〕此马屁菌也，其状如狗肺，生湿地及腐木上，虚软如紫絮，弹之有紫尘出。〔衍义曰〕此唐韩退之所谓牛溲、马勃俱收并蓄者也。其大者如斗，小者如杓，弹之则粉出也。

地〔图经曰〕生园中久腐湿处。

时〔生〕无时。〔采〕夏秋取。

收 阴干。

用 大而虚软者佳。

色 紫。

味 辛。

性 平，散。

气 气之薄者，阳中之阴。

臭 朽。

主 疮疥，喉闭。

制 去膜用。

治〔疗〕〔陶隐居云〕傅诸疮。

合治 合蜜揉拌，少以水调，呷，治喉闭咽痛。

# 屐屧鼻绳灰

屐①屧②鼻绳灰水服，主噎哽，心痛胸满。

名医所录。

---

① 屐：原注“音剧”。

② 屧：原注“音燮”。

**地**〔别录云〕江南以桐木为屐及屧，用蒲为鞋，用麻穿其鼻也。入药取以著脚经久而欲烂断者为良。

**用** 著脚经久者佳。

**色** 黑。

**制** 烧灰用。

# 质汗

无毒

质汗主金疮伤折，瘀血内损，补筋肉，消恶血，下血气，妇人产后，诸血结，腹痛内冷，不下食，并酒消服之，亦傅病处。

名医所录。

**地**〔图经曰〕出西蕃如凝血，蕃人煎甘草、松泪、柽乳、地黄并热血成之。〔陈藏器云〕蕃人试药，取儿断一足，内药于口中，以足蹋之，当时能走至良。〔谨按〕断儿足以试药，可谓神矣。考其药味，不过甘草、松泪辈而已，岂能如是之速哉！但恐后人说梦向痴，试之不验，将何如邪？设若误伤，以此治之则可，欲试药而断人之足，其与文伯下二胎之意同也。仁人者可不慎欤。

**色** 紫红。

**味** 甘。

**性** 温。

**气** 气之厚者，阳也。

**臭** 香。

# 水蓼

无毒　植生

水蓼主蛇毒，捣傅之。绞汁服，止蛇毒入内，心闷。水煮渍捋脚，消气肿。名医所录。

**苗**〔唐本注云〕生于水泽中，故名水蓼。其叶大于家蓼，茎赤。水挼食之，胜于蓼子。〔衍义曰〕大率与水红花相似，但枝低尔。今造酒取汁，和面作曲，亦假其辛尔。

**地**〔唐本注云〕生下湿水傍。

**时**〔生〕春生苗。〔采〕夏月取茎、叶。

**收** 阴干。

**用** 茎、叶。

**质** 类水红花而枝短。

**色** 绿。

**味** 辛。

**性** 冷，散。

**气** 气之薄者，阳中之阴。

**臭** 香。

**治**〔疗〕〔别录云〕脚痛成疮，煮汤，令温热得所，频频淋洗，疮干自安。

**合治** 水红子不计多少，微炒一半，余一半生用，同为末，以好酒调二钱，日三服，食后夜卧各一服，治瘰疬，破者亦治。

○ 草之草

# 莸草

无毒　丛生

莸草主湿痹，消水气。合赤小豆煮食之，勿与盐，主脚气顽痹，虚肿，小腹急，小便赤涩，捣叶傅毒肿。又绞取汁服之，主消渴。名医所录。

名 莸蔓于、莤[①]证、莸。

苗〔图经曰〕生水中，似结缕，叶长，马多食之。《尔雅》云：莸蔓于，江东人呼为莤证。俗云：莸，水草也。《左传》亦曰：一薰一莸，十年尚犹有臭者，是此草也。

地〔图经曰〕生江东水田中。

时〔生〕春生苗。〔采〕夏秋取叶。

收 暴干。

用 叶。

色 绿。

味 甘。

性 大寒，缓。

气 气之薄者，阳中之阴。

臭 臭。

主 消水气，傅肿毒。

---

① 莤：原注“音犹”。

○ 草之草

# 败芒箔

无毒

败芒箔主产妇血满，腹胀痛，血渴，恶露不尽，月闭，止好血，下恶血，去鬼气，疰痛，癥结，酒煮服之，亦烧为末，酒下。弥久著烟者佳。今东人作箔，多草为之。《尔雅》云：芒，似[①]茅，可以为索。名医所录。

① 似：原作“以”，据《证类本草》改。

# 狗舌草

有小毒　丛生

狗舌草主蛊疥瘙疮，杀小虫。名医所录。

**苗**〔唐本注云〕叶似车前，无纹理，抽茎，花开黄白而细。

**地**〔唐本注云〕生渠壍湿地。

**时**〔生〕春生苗。〔采〕四月、五月取。

**收** 暴干。

**用** 茎。

**色** 青绿。

**味** 苦。

**性** 寒，泄。

**气** 气薄味厚，阴也。

草之草

# 海金沙

无毒　植生

海金沙主通利小肠。

名医所录。

**苗**〔图经曰〕初生作小株，高一二尺，七月采全棵，于日中暴之，令干纸衬。以杖击之，有细沙落纸上，旋收之。且暴且击，以沙尽为度。

**地**〔图经曰〕生黔中山谷，湖南亦有之。

**时**〔生〕春生苗。〔采〕七月取。

**收**日中击之。

**用**沙。

**色**黄。

**味**淡。

**性**平。

**气**气之薄者，阳中之阴。

**臭**朽。

**主**通关窍，利水道。

**合治**合栀子、马牙消、蓬沙，治伤寒热狂。○海金沙一两，腊茶半两，二味捣研令细，每服三钱，煎生姜甘草汤调服无时，治小便不通，脐下满闷，未通再服。

# 萱草根

无毒　丛生

萱草根治沙淋，下水气，主酒疸，黄色通身者，取根捣绞汁服，亦取嫩苗煮食之。又主小便赤涩，身体烦热。《风土记》云：怀妊妇人佩其花，生男也。名医所录。

**名** 鹿葱。〔花〕宜男、忘忧。

**苗** 〔谨按〕此种春初宿根而生，叶十数作丛，类菖蒲而稍薄，一茎挺出。其端有花，次第而开，类百合而红黄色，亦有纯黄者。夏采花、秋采根用，今人多采嫩苗及花附作菹煮食之。其花孕妇佩纫则生男，故名宜男。《诗传》云：食之亦能令人合欢乐忘忧，故名忘忧也。

**地** 〔图经曰〕处处田野有之。

**时** 〔生〕春生苗。〔采〕五月取花，八月取根。

**收** 日干。

**用** 根。

**色** 白。

**味** 甘、辛。

**性** 凉，缓。

**气** 气之薄者，阳中之阴。

**臭** 香。

**主** 利水窍，除烦热。

**治** 〔疗〕〔图经曰〕安五脏，利心志，令人好欢乐无忧，轻身明目。○嫩苗花作菹食，利胸膈甚佳。

**合治** 萱草根洗净，研汁一大盏，合生姜汁半盏，时时细呷，治大热衄血。

# 格注草

有大毒　丛生

格注草主蛊疰，诸毒，疼痛等。名医所录。

苗〔唐本注云〕叶似蕨，根紫色，若紫草根，一株有二十许。
地〔图经曰〕生齐鲁山泽。〔唐本注云〕出兖州山谷间。
时〔生〕春生苗。〔采〕二月、八月取根，五月、六月取苗。
收 日干。
用 根、苗。
色 苗绿，根紫。
味 辛、苦。
性 温，散。
气 气厚味薄，阳中之阴。

# 鸡窠中草

鸡窠中草主小儿白秃疮，和白头翁花烧灰，腊月猪脂傅之。疮先以酸泔洗，然后涂之。又主小儿夜啼，安席下，勿令母知。名医所录。

时〔采〕无时。
收 暴干。
用 鸡久栖者良。
制 烧灰用。
合治 烧作末，合酒下一钱匕，治产后遗尿。

○ 草之草

# 鸡冠子

无毒　植生

鸡冠子主肠风泻血，赤白痢，妇人崩中带下。名医所录。

苗〔谨按〕苗高三五尺，独茎而扁，红绿色，叶如蓼叶而长，至端渐小，花开茎巅，状若鸡冠，故谓之鸡冠花也。其子细黑，似车前子，但棱扁而有光泽尔。

地 处处有之。

时〔生〕春生苗。〔采〕秋取子。

收 日干。

用 子。

色 黑。

性 凉。

气 气之薄者，阳中之阴。

主 崩中带下。

制 炒，碾碎用。

○ 草之走

# 地椒

有小毒　散生

地椒主淋㸃肿痛，可作杀蛀虫药。名医所录。

苗〔图经曰〕其苗因旧茎覆地而生，茎叶甚细，花作小朵，紫白色。

地〔图经曰〕出上党郡。

时〔生〕春生苗。〔采〕秋取实。

收 日干。

用 实。

色 青。

味 辛。

性 温，散。

气 气之厚者，阳也。

臭 香。

主 杀虫。

# 草三棱

无毒　丛生

草三棱疗产后恶血，通月水血结，堕胎，破积聚癥瘕，止痛利气。名医所录。

**名** 鸡爪三棱。

**苗**〔图经曰〕春生苗，高三四尺，似茭蒲，叶皆三棱，五六月开花，如莎草，黄紫色，霜降后采根。其形不一，有初生成块者，或傍生一根成块出苗者。其不出苗只生细根者，谓之鸡爪三棱，即草三棱也。所谓鸡爪者，以其根端钩屈如鸡爪然尔。亦如乌头、乌喙，因形而名之，其实一类也。

**地**〔图经曰〕生蜀地。

**时**〔生〕春生苗。〔采〕二月、八月取根。

**收** 暴干。

**用** 根。

**质** 类鸡爪而长大。

**色** 皮黑肉白。

**味** 甘。

**性** 平、温，缓。

**气** 气之厚者，阳也。

**主** 逐瘀血，破积气。

**制** 细剉用。

# 合明草

无毒　植生

合明草主暴热淋，小便赤涩，小儿瘛病，明目，下水，止血痢，捣绞汁服。名医所录。

苗〔图经曰〕叶如四出花，向夜即叶合。

地〔图经曰〕生下湿地。

时〔生〕春生苗。〔采〕夏秋取。

收 日干。

用 茎、叶。

色 绿。

味 甘。

性 寒，缓。

气 气之薄者，阳中之阴。

臭 朽。

主 风热，利窍。

# 鹿药

无毒　植生

鹿药主风血，去诸冷，益老起阳，浸酒服之。

名医所录。

苗〔图经曰〕春生苗，高一尺以来。叶似竹而两两相对，苗、根并似黄精。其根鹿好食，故名鹿药也。

地〔图经曰〕生姑藏已西。

时〔生〕春生苗。〔采〕夏秋取根。

收 日干。

用 根。

质 类黄精。

色 黄白。

味 甘。

性 温，缓。

气 气之厚者，阳也。

臭 朽。

主 益阳去冷。

制 酒浸用。

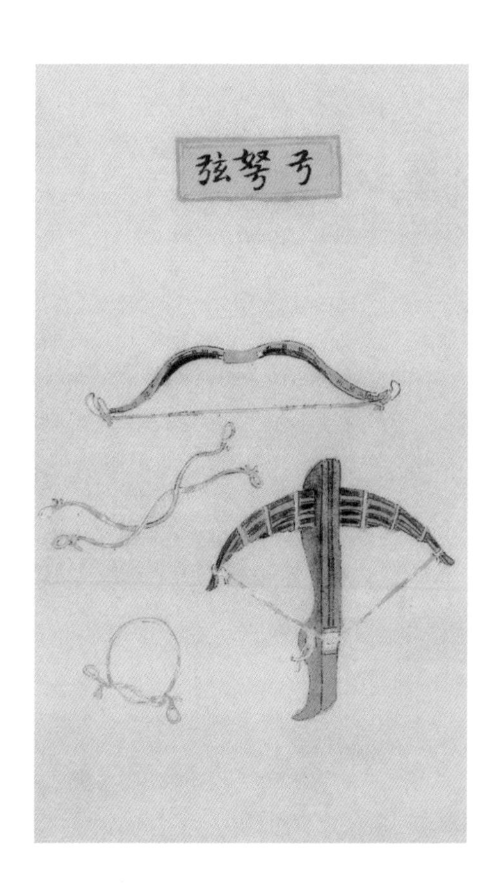


# 弓弩弦

弓弩弦主难产，胞不出。名医所录。

〔谨按〕弓弩弦，旧本附于草部，盖古者以麻为之而然也。近世易之以丝、以筋之类，欲其坚。且约耳内，则所谓男子生，而桑弧蓬矢以射四方。射乃男子之事，况弦有捷速之义，故妊娠佩之以宜男，临蓐而易产，物之所感，理或然也。

性 微寒、平。

主 易产。

治〔疗〕〔别录云〕治妇人始觉有孕，取弦一条，袋盛系于左臂必成男胎。又临蓐，取一条缠缚腰间，令易产。治耳中有物不可出者，以三寸打散一头，涂胶，注耳中物处停之，令相著，其物即出。

## 一十一种陈藏器余

**毛茛**[①]钩吻注，陶云：钩吻或是毛茛。苏云：毛茛是有毛石龙芮也。《百一方》云：菜中有水茛，叶圆而光，有毒，生水旁，蟹多食之。苏云：又注，似水茛无毛，其毛茛似龙芮而有毒也。

**荫命**钩吻注，陶云：有一物名阴命，赤色，著木，悬其子，生海中，有毒。又云：海姜生海中，赤色，状如龙芮，亦大毒，应是此也。今无的识之者。

**毒菌**地浆注，陶云：山中多有毒菌，地浆解之。地生者为菌，木生者为橘，江东人呼为蕈。《尔雅》云：中馗，菌，注云：地蕈子也。或云地鸡，亦云獐头。夜中光者有毒，煮不熟者有毒，煮讫照人无影者有毒，有恶虫鸟从下过者有毒，欲烂无虫者有毒，冬春无毒及秋夏有毒者，为蛇过也。

**草禹余粮**注，陶公云：南人又呼平泽中一藤，如菝葜。为余粮，言禹采此当粮。根如盏连缀，半在土上，皮如茯苓，肉赤味涩，人取以当谷不饥，调中止泄，健行不睡。云昔禹会诸侯，弃粮于地，化为此草，故名余粮。今多生海畔山谷。

**鼠蓑草**莎草注，陶云：别有鼠蓑草，治体异，此有

① 茛：原作“莨”，据药名改。

名无用条有蘘草，味苦、寒，主温疟寒热，酸斯利气，生淮南山谷。即此也。

**廉姜**杜若注，陶云：若似廉，按廉姜，热，主胃中冷，吐水不下食，似姜，生岭南，剑南人多食之。

**草石蚕**虫石蚕注，陶云：今俗用草根，黑色。按草石蚕生高山石上，根如箸，上有毛，节如蚕，叶似卷柏。山人取浸酒，除风破血，主溪毒，煮食之。《本经》从虫部出，复有虫石蚕，已出《拾遗》。

**漆姑草**杉木注，陶云：叶细细，多生石间，按漆姑草如鼠迹大，生阶墀间阴处，气辛烈，主漆疮，挼研傅之，热更易，亦主溪毒疮。苏云：此蜀羊泉，羊泉是大草，非细者，乃同名耳。

**麂目**豆蔻注，陶云：麂目小冷。按麂目云：出岭南，如麂目，食之发冷痰，余别无功。

**梨豆**蚺蛇注，陶云：蛇胆如梨豆，生江南，蔓如葛，子如皂荚子，作狸首纹，故名梨豆。《尔雅》云：虑，涉子，人炒食之，一名虎涉，别无功。

**诸草有毒**瓜两蒂、两鼻害人。瓜瓠正苦有毒。檐溜滴著菜有毒。堇黄花害人。芹赤叶害人。菰首蜜食下痢。生葱不得杂白犬肉食之，令人九窍流血。食戎葵并鸟肉，令人面无颜色。食葵发狂犬咬。食葫葱、青鱼，令人腹生虫。薤不得和牛肉食，成癥瘕痼疾。妇人妊娠食干姜，令胎肉消。生葱和鸡子食，变嗽。蓼藡食生食，令气夺乏，令阴痿。九月食霜下瓜，血必冬发。三月不得食陈菹，夏热病发恶疮。瓠牛践苗子即苦。

本草品汇精要卷之十五

# 本草品汇精要

·卷之十六·

# 木 部
## 上品之上

一十三种 神农本经 朱字

四种 名医别录 黑字

三种 宋本先附 注云宋附

一种 今分条

四种 海药余

一十三种 陈藏器余

**已上总三十八种，内四[1]种今增图**

① 四：原作“三”，据《证类本草》“槐花”条无图，故增一。

桂桂心、肉桂、桂枝附　牡桂　菌桂

松脂实、叶、根、节、松黄、松滋、五鬣松附　槐实枝、皮、根附

槐花宋附，叶附，今增图[1]　槐胶宋附　枸杞叶上虫窠附

地骨皮原附枸杞下，今分条并增图　柏实叶、皮、侧柏附

茯苓茯神附　琥珀今增图　瑿宋附，今增图

榆皮花附　酸枣　檗木根附

楮实叶、皮、茎白汁、纸壳汁附　干漆生漆附

五加皮　牡荆实　蔓荆实

四种海药余

藤黄　返魂香　海红豆

莎木

一十三种陈藏器余

乾陀木皮　含水藤中水　皋芦叶

蜜香　阿勒勃　鼠藤

浮烂罗勒　灵寿木根[2]皮　椶木

斑珠藤　阿月浑子　不雕木

曼游藤

---

① 今增图：原无，据义例补。

② 根：原无，据正文药名补。

# 本草品汇精要卷之十六

## 木部上品之上

### 木之木

## 桂

有小毒　附桂心、肉桂、桂枝　植生

桂主温中，利肝肺气，心腹寒热，冷疾，霍乱转筋，头痛腰痛，出汗，止烦，止唾，咳嗽，鼻齆，能堕胎，坚骨节，通血脉，理疏不足，宣导百药，无所畏。久服神仙不老。名医所录。

**名** 丹桂、姜桂。

**苗**〔谨按〕木高三四丈，其叶如柏叶而泽黑，皮黄心赤，凌冬不凋，其傍无杂木，盖木得桂而枯之谓。按《衍义》云桂，大热，《素问》谓辛甘发散为阳，故仲景治伤寒表虚用桂枝汤，专取辛甘发散之意也。又云：疗寒以热，故知三种之桂，不取菌桂、牡桂者，盖此二种性止温而已，不可以治风寒之病，独有一字桂。《本经》谓甘辛大热，正合《素问》辛甘发散之旨，尤知菌桂、牡桂为不及也。今《尔雅》云：梫为木桂。郭璞云：南人呼桂厚皮为木桂，苏恭以为牡桂即木桂及单名桂者，非也。《汤液本草》云：有菌桂、牡桂、木桂、筒桂、肉桂、板桂、桂心、官桂之类，用者罕有分别。《衍义》言：不知何缘而得官之名，考诸本草有出观、宾诸州者佳，世人以笔画多而懒书之，故只作官也。如黄檗作黄柏，生薑作姜同意。本草所说诸桂有厚薄不同，大抵细薄者为枝，厚脂者为肉，其身者刮去皮与裹，止用中者为桂心，故仲景用桂枝发表，用肉桂补肾，亦本乎天者亲上，本乎地者亲下之义也。

**地**〔陶隐居云〕出湘州、桂州、交州。〔道地〕桂阳、广州、观州。

**时**〔生〕春生新叶。〔采〕二月、八月、十月取皮。

**收** 阴干。

**用** 皮、心、枝。

**质** 类厚朴而薄。

**色** 紫。

**味** 甘、辛。

**性** 大热。

**气** 气之厚者，阳也。

**臭** 香。

**主** 伐肝气，逐寒邪。

**行**〔桂〕手少阴经。〔桂枝〕足太阴经。

**制** 去粗皮。

**治**〔疗〕〔药性论云〕桂心止九种心痛，杀三虫，破血，通利月闭，及脚软痹不仁，并胞衣不下，除咳逆，结气壅痹，止腹内冷气，痛不可忍，止下痢，治鼻息肉。〔日华子云〕桂心疗一切风气，通九窍，利关节，暖腰膝，破痃癖癥瘕，消瘀血及风痹，骨节挛缩，续筋骨，生肌肉。〔汤液本草云〕桂枝，发表及表虚自汗轻薄者，宜入治眼目发散药。○肉桂治沉寒痼冷，秋冬下部腹痛，并疗奔豚。〔别录云〕桂心，疗卒中恶，心痛及小儿脐肿，炙热熨之。○桂，疗心腹胀闷及外肾偏肿疼痛，为末，水调方寸匕，涂之。〔补〕〔日华子云〕益精明目，并五劳七伤。〔汤液本草云〕肉桂补下焦热火不足及补肾。

**合治** 合人参、麦门冬、甘草、大黄、黄芩，调中益气。○合柴胡、紫石英、干地黄，止呕逆。○桂心为末二两，合热酒调一钱匕，不拘时服，治寒疝心痛，四肢逆冷，全不欲食。

○ 木之木

# 牡桂

无毒　植生[1]

牡桂出神农本经。主上气，咳逆，结气，喉痹，吐吸，利关节，补中益气。久服通神，轻身不老。以上朱字神农本经。心痛，胁风，胁痛，温筋，通脉，止烦，出汗。以上黑字名医所录。

① 植生：原无，据罗马本补。

**名** 梫[1]、木桂。

**苗**〔图经曰〕木高三四丈，皮薄色黄，少脂肉，气如木兰，味亦相类，叶狭于菌桂而长数倍，亦似枇杷叶而大。四月生白花，全类茱萸花，不著子，生于岩岭。枝叶冬夏常青，间无杂木，所谓牡桂是也。其叶用之作饮甚香，人家园圃亦有种者，移植于岭北则气味亦少辛辣，故不甚入药也。

**地**〔图经曰〕生南海山谷。〔道地〕融州、桂州、交州、宜州甚良。

**时**〔生〕三月、四月生花。〔采〕二月、八月、十月取皮。

**收** 阴干。

**用** 皮。

**质** 类厚朴而光薄。

**色** 紫。

**味** 辛。

**性** 温，散。

**气** 气之厚者，阳也。

**臭** 香。

**主** 温筋通脉，冷风疼痛。

**行** 手少阴经。

**制** 刮去粗皮，剉碎用。

---

① 梫：原注“音寝”。

# 菌桂

无毒

菌桂主百病，养精神，和颜色，为诸药先聘通使。久服轻身不老，面生光华，媚好，常如童子。神农本经。

苗〔图经曰〕叶似柿叶而尖狭光净，中有三道纹，花白叶黄。四月开花，五月结实，树皮青黄，肌理紧薄，无骨正圆如竹，大枝、小枝皮俱是筒，有二三重者，因其似筒而谓之筒桂也。然筒桂即菌桂尔，筒、菌字相近，其亦传写之误乎？大枝皮不能重卷者，味极淡薄，不入药用。

地〔陶隐居云〕出交州、桂林及蜀都山谷岩崖间。〔道地〕韶州、宾州。

时〔生〕春生新叶。〔采〕三月、七月取皮。

收 日干。

用 皮。

质 类厚朴而卷薄作筒。

色 紫。

味 辛。

性 温，散。

气 气之厚者，阳也。

臭 香。

主 养神悦色。

行 手少阴经。

制 刮去粗皮，剉碎用。

# 松脂

植生

松脂出神农本经。主疽恶疮，头疡，白秃，疥瘙风气，安五脏，除热。久服轻身，不老延年。以上朱字神农本经。胃中伏热，咽干，消渴及风痹死肌。炼令白服之。其赤者，主恶痹。〇实，味苦，温，无毒，主风痹寒气，虚羸少力，补不足。〇叶，味苦，温，主风湿疮，生毛发，安五脏，守中不饥，延年。〇节，温，无毒，主百节久风，风虚脚痹疼痛。〇根白皮，味苦，温，无毒，主辟谷不饥。以上黑字名医所录。

**名** 松膏、松肪、松黄。

**苗** 〔谨按〕萧炳云：松有五鬣为一叶，或有两鬣、七鬣者，岁久则实繁。其脂盖由树枝荣盛时为炎日所灼，津液流出，凝结于外，制服之，胜于凿树及煮用膏也。亦有花上黄粉，名松黄，山人及时拂取点汤，甚佳。烧其枝，上下承取汁液，名松湽[①]，能疗牛马疮疾。皮上绿衣谓之艾蒳，合和诸香用之。夫松凌冬不凋，理为佳物，但人多轻忽近易之耳。中原虽有，然不及塞上者佳也。

**地** 〔图经曰〕生泰山山谷，今处处有之。

**时** 〔生〕四时不凋。〔采〕六月取脂，九月取实。

**收** 阴干。

**用** 通明如薰陆香，成颗者为好。

**质** 类乳香。

**色** 黄。

**味** 苦、甘。

**性** 温，泄、缓。

**气** 气厚味薄，阳中之阴。

**臭** 香。

**主** 诸疮肿，除热疾。

**制** 〔图经曰〕用大釜加水置甑，用白茅藉甑底，又加黄沙于茅上厚寸许，然后布松脂于上，炊以桑薪汤，减即添热水，常令满。候松脂尽入釜中乃出之，投于冷水，既凝又蒸，如此三过，其白如玉，然后入药。

**治** 〔疗〕〔药性论云〕杀虫，治耳聋，牙有蛀孔。以少许咬

① 湽：原注“音诣”。原作“潴”，据目录改。

之不落，虫自死。贴诸疮脓血。煎膏，生肌止痛，抽风。〔日华子云〕润心肺，下气，除邪。煎膏，治瘘烂，排脓。○叶，炙罯冻疮，风湿疮。○节，主脚软，骨节风。〔别录云〕节烧灰，揩牙龈历虫，齿根黑暗。〔补〕〔日华子云〕根白皮，补五劳，益气。

合治 煮炼，投冰水中五十遍，合蜜丸服二两，饥即服之，日三，疗恶风疾，鼻柱断离者，二百日瘥，断盐及房室。○以三十斤炼五十遍或二十遍，每三升合炼酥三升，温和，熟搅极稠，空腹以酒服方寸匕，日三，数食面粥为佳，慎血腥、生冷、酢物、果子，疗历节诸风，百节酸痛不可忍。○以三两炼，合巴豆一两，匀和熟捣丸，通过以薄绵裹内耳孔中，疗耳久聋，日一易之，瘥。○又以三十斤，合酒五斗，渍三七日，服一合，日五六服，疗历节风，四肢疼痛如解。○叶合水面饮，服之断谷，并除患恶病。○节酿酒，疗苦脚弱人。○花合酒服，轻身。○花合川芎、当归、石膏、蒲黄，为末服二钱，水二合，红花二捻，同煎七分，粥后温服，疗产后壮热头痛，颊赤，口干唇焦，烦燥渴，昏闷不爽。○实捣为膏，合酒调下三钱，日三则不饥，渴饮水，勿食他物，百日身轻，日行五百里。○实合柏子仁服，疗虚秘。

○ 木之木

# 槐实

无毒 植生

槐实出神农本经。主五内邪气热，止涎唾，补绝伤，五痔，火疮，妇人乳瘕。以上朱字神农本经。子脏急痛，以七月七日取之捣取汁，铜器盛之，日煎，令可作丸，大如鼠屎，内窍中，三易乃愈。又堕胎，久服明目，益气，头不白，延年。○枝，主洗疮及阴囊下湿痒。○皮，主烂疮。○根，主喉痹寒热，可作神烛。以上黑字名医所录。

**苗**〔图经曰〕其木有极高大者。《尔雅》云：槐有数种，叶大而黑者，名櫰[1]槐；昼合夜开者，名守宫槐；叶细而青绿色者，但谓之槐。五月、六月开花，七月、八月结实，其功用不言有别。

**地**〔图经曰〕处处有之。〔道地〕河南平泽。

**时**〔生〕春生叶。〔采〕六月取花，七月七日取嫩实捣汁作煎，十月取老实入药，根皮取无时。

**收** 日干。

**用** 实及皮枝、根。

**色** 青黄。

**味** 苦、酸、咸。

**性** 寒，泄。

**气** 气薄味厚，阴也。

**臭** 腥。

**主** 五痔，心痛。

**助** 景天为之使。

**制**〔雷公云〕凡使，去单子并五子者，只取两三子者，以铜锤捣令破，用乌牛乳浸一宿，蒸过用。

**治**〔疗〕〔陶隐居云〕十月巳日采之，新盆盛，合泥百日，皮烂为水，核如大豆，服之令脑满，发不白而长生。〔药性论云〕大热难产。○皮，煮汁，淋阴囊坠肿气。○白皮，治口齿风疳，䘌血，以煎浆水含之，及煎淋浴男子阴疝卵肿。〔日华子云〕疗丈夫、女人阴疮湿痒及催生，吞七粒，效。○皮，主中风，皮肤不仁，喉痹，浸洗五痔并一切恶疮，妇人产门痒痛及汤火疮，煎膏止痛，长肉

---

① 櫰：原注“古回切”。

生肌。〔陈藏器云〕杀虫去风，连荚折取，阴干，煮服，味一如茶，明目，除热泪，头脑心胸间热风烦闷，风眩欲倒，心头吐涎如醉，瀁瀁如船车上者。○木，为灰，擦之，长毛发。〔图经曰〕春采嫩枝，煅为黑灰，揩齿去蚛。○烧青枝，取沥涂癣。○白皮，煮汁，疗口齿及下血。○水吞黑子，变白发。〔食疗云〕春初嫩叶食之，除邪气，产难，绝伤及主瘾疹，牙齿诸风疼。

合治 断槐大枝，使生嫩蘖，煮汁酿酒，疗大风痿痹。

# 槐花

无毒　附叶　植生

槐花主五痔，心痛，眼赤，杀腹脏虫及热，治皮肤风并肠风，泻血，赤白痢。〇叶，平，无毒，煎汤治小儿惊痫，壮热，疥癣及疔肿。皮茎同用。名医所录。

苗〔衍义曰〕即今染家所用者，收时折其未开花，煮一沸出之，釜中有所澄下稠黄滓，渗漉为饼，染色更鲜明也。

地〔图经曰〕生河南平泽，今所在有之。

时〔生〕四月、五月生叶。〔采〕七月取花。

收 日干。

用 花未开者佳。

色 青黄。

味 苦。

性 平，泄。

气 味厚于气，阴也。

臭 腥。

主 凉血。

制 去枝梗，炒用。

治〔疗〕〔图经曰〕陈久者为末服，止下血。〔衍义曰〕止肠风热，泻血。

合治 槐花烧灰细研，合酒调，食前服二钱匕，疗妇人漏下血不绝。

# 槐胶

槐胶主一切风化涎，治肝脏风，筋脉抽掣及急风口噤。或四肢不收，顽痹。或毒风，周身如虫行。或破伤风，口眼偏斜，腰脊强硬，任作汤散丸煎，杂诸药用之，亦可水煮和诸药为丸，及作汤下药。名医所录。

〔谨按〕槐胶乃槐之液也。其木因夏日酷烈，脂液灼出，凝结于外，稠粘如胶，故曰槐胶。

**地**〔图经曰〕处处有之。

**时**〔生〕无时。〔采〕五月、六月取胶。

**收** 瓷器贮之。

**用** 脂。

**色** 苍褐。

**制** 水煮过，研细用。

# 枸杞

无毒　丛生

枸杞出神农本经。主五内邪气，热中消渴，周痹。久服坚筋骨，轻身不老。以上朱字神农本经。风湿，下胸胁气，客热头痛，补内伤，大劳嘘吸，坚筋骨，强阴，利大小肠，耐寒暑。以上黑字名医所录。

名 枸忌、地辅、却暑、地仙苗、枸檵、苦杞、托卢、仙人杖、西王母杖。〔实〕羊乳、天精、却老。

苗〔图经曰〕春生苗，叶如石榴叶而软薄，其茎干高三五尺，作丛，六七月生小红紫花，随便结实，形微，长如枣核。沈存中云：陕西枸杞长一二丈，其围数寸，无刺，根皮如厚朴，甘美，异于诸处，子如樱桃，全少核。今人相传谓枸杞与枸棘相类，其实形长而无刺者真枸杞，圆而有刺者枸棘也。〔衍义曰〕枸杞当用梗皮，地骨当用根皮，枸杞子当用红实，本一物而有三用，实微寒，梗皮寒，根大寒，亦三等。孟子所谓性犹杞柳之杞，后人徒劳分别。又谓之枸棘，兹强生名耳。凡杞未有无刺者，虽大至有成架，然亦有刺，但此物小则多刺，大则少刺，还如酸枣与棘，其实皆一也。

地〔图经曰〕生常山平泽及丘陵阪岸，今处处有之。〔道地〕实，陕西甘州、茂州。

时〔生〕春生苗。〔采〕春取叶，秋取茎实。

收 阴干。

用 叶、茎、实。

质 叶如石榴叶而软薄。

色 青绿。

味 苦。〔实〕甘。

性 寒。〔实〕微寒。

气 气薄味厚，阴也。

臭 朽。

反 恶乳酪。

主 强阴益精。

治〔疗〕〔药性论云〕叶，捣绞汁点眼，除风障，赤膜昏痛。〔日华子云〕苗，除烦，去皮肤骨节间风，消热毒，散疮肿。〔食疗云〕叶、子，除风，去虚劳。〔补〕〔陶隐居云〕补益精气，强盛阴道。〔药性论云〕子、叶，能益精及诸虚不足，易颜色，变白明目，安神，令人长寿。〔日华子云〕苗，益志，补五劳七伤，壮心气。〔食疗云〕叶、子，坚筋能老。

合治 叶合羊肉作羹，甚益人，及除风明目。若渴，可煮作饮以代茶。○叶上虫窠子暴干为末，入干地黄中为丸，益阳事，助精气。○子五升，好酒二斗，研搦勿碎，浸七日，漉去滓，饮之，初二三合为始，后即任性饮之，补虚，长肌肉，益颜色，肥健人，能去劳热，名曰枸杞子酒。○叶半斤切碎，合粳米二合，以豉汁、中根和煮作粥，以五味末、葱白等调和食之，疗五劳七伤，房事衰弱。

解 发热，诸毒，烦闷，煮汁解之，及消热面毒。

# 地骨皮

无毒　丛生

地骨皮解骨蒸肌热，主风湿痹，消渴，坚筋骨。去骨用根皮。

名医所录。

名 杞根。

苗 〔谨按〕地骨皮即枸杞根皮也。苗叶详具枸杞条下，但其功用所载简略。按《汤液本草》，王海藏以地骨皮立条，概可见矣。考其名以地为阴，骨为里，皮为表，所以去骨蒸肌热之要药也。亦如地笋、泽兰根苗，各立其条，表而出之，庶不混于用也。

地 〔图经曰〕生常山平泽及丘陵阪岸，今处处有之。〔道地〕陕西甘州、茂州。

时 〔生〕春生苗。〔采〕冬取根皮。

收 阴干。

用 根皮。

质 类五加皮而轻细。

色 褐。

味 苦。

性 大寒，泄。

气 气薄味厚，阴也。

臭 朽。

主 无定之风邪，有汗之骨蒸。

行 手少阳经，足少阴经。

制 〔雷公云〕凡使，根掘得后，使东流水浸，以物刷上土了，然后待干破去心，用熟甘草汤浸一宿，然后焙干用。其根若似物命形状者，上春食叶，夏食子，秋冬食根并子也。

治 〔疗〕〔食疗云〕去骨热，消渴。〔别录云〕除虚劳客热，及疗痈疽恶疮，血出不止。以地骨皮不计多少，净洗，先刮上面粗皮，留之，再刮取细白穰，仍取粗皮同地骨一处煎汤，淋洗疮令脓血净，以细穰贴之，次日结痂遂愈。

合治 细剉，合面拌熟，煮服之，疗肾家风。○以三片合水三升，煮取二升，绞去滓，更内盐一两，煎二升，傅目，或加干姜二两，疗眼天行肿痒痛。

○ 木之飞

# 柏实

无毒　附叶、皮　植生

柏实出神农本经。主惊悸，安五脏，益气，除风湿痹。久服令人润泽美色，耳目聪明，不饥不老，轻身延年。以上朱字神农本经。疗恍惚虚损，吸吸历节腰中重痛，益血，止汗，柏叶尤良。○柏叶，味苦，辛，微温，主吐血，衄血，痢血，崩中赤白，轻身益气，令人耐寒暑，去湿痹，止饥。○柏白皮，主火灼烂疮，长毛发。以上黑字名医所录。

苗〔图经曰〕柏有数种，入药惟用叶，皆侧向，谓之侧柏者佳，而他柏所不及。三月开花，九月结子成熟，是谓之柏实。其木心赤而香，人多采焚，谓之柏香，乃香之下品也。别录云：实叶采食，尤能益人。后汉猎者见一人越涧如飞，伺而得之，云是秦时避难山中，采柏充食，遂至不畏饥寒，而《本经》轻身延年之说信矣。若入药，以得古柏尤良。尝见孔明庙柏，蜀时所植，气味甘香胜常，治病功必倍之。然《图经》以乾州者为胜，何也？盖乾州之柏叶，皆茂盛而木有纹理，多肖山水形象，乃灵气所种，宜其实之最佳。〔衍义曰〕尝官陕西，每登高望之，虽千万株皆一一西指，盖此木乃至坚之木，不畏霜雪，得木之正气而他木不逮也。所以受金之气所制，故一一向之。陶云忌采冢上所产者，盖有泥于方士之说，而《别录》谓乾柏多出于乾陵，殆乾柏俱不可用也。然物各有所宜，岂可以乾陵而费柏乎！亦岂乾柏尽出于乾陵乎！盖乾水土厚而产物气全，是可尚耳。地之所宜，又何拘焉。

地〔图经曰〕生泰山山谷，陕州、宜州、益州、终南山。〔道地〕乾州、密州。

时〔生〕九月结实。〔采〕冬月取实，四时各随方向取叶。

收〔实〕暴干。〔叶〕阴干。

用 实、叶、白皮。

质 类小麦而圆。

色 壳褐，仁白。

味 甘。

性 平，缓。

气 气厚于味，阳中之阴。

臭 香。

主 养气血，益容颜。

助 牡蛎、桂、瓜子为之使。

反 畏菊花、羊蹄草、诸石、面、曲。

制〔别录云〕采蒸暴干，舂礌，去壳取仁用。

治〔疗〕〔图经曰〕叶，湿捣令烂如泥，冷水调作膏，治大人、小儿汤烫火烧，涂伤处，用帛系定，三两日疮当敛，仍灭瘢。〔药性论云〕柏子仁，除腰中冷，膀胱冷，脓宿水，去头风及百邪鬼魅，并小儿惊痫。○叶，治冷风历节疼痛。〔日华子云〕柏子仁，祛风，润皮肤。○叶，炙署冻疮。烧取汁，涂头，黑润须发。〔唐本注云〕柏枝节，煮以酿酒，除风痹，历节风，烧取湍，疗瘑疥及癞疮，良。〔别录云〕柏子仁，为末，温水调服二钱，治小儿躯啼惊痫，腹满，不乳食，大便青白色。○社中西南柏树东南枝，为末，水调一钱匕，日三四服，治时气瘴疫。○柏树木，细剉，煮汤淋洗，治霍乱转筋。〔补〕〔药性论云〕兴阳道，益寿。

合治 侧柏叶合酒，止尿血。○青柏叶一把，合干姜三片，阿胶一挺，炙三味，以水二升煮一升，去滓，别绞马通汁一升相和合，煎取一升，绵滤，一服尽之，疗吐血不止者。○又叶焙干为末，合川黄连二味同煎为汁服，疗男子妇人、小儿大腹，下黑血如茶脚色，或脓血如淀色，所谓虫痢者，服之有殊效。及杀五脏虫。○柏子仁合大麻子、松子仁等分，同研溶白蜡丸如桐子大，以少黄丹汤，每以二三十丸食前服，疗老人虚秘。○柏叶捣为细末，不计时候，合粥饮调下二钱匕，疗忧恚，呕血，烦满，少气，胸中疼痛。

○ 木之木

# 茯苓

无毒　附茯神　寄生

茯苓出神农本经。主胸胁逆气，忧恚，惊邪恐悸，心下结痛，寒热，烦满，咳逆，口焦舌干，利小便。久服安魂养神，不饥延年。以上朱字神农本经。**止消渴，好唾，大腹淋沥，膈中痰水，水肿淋结，开胸腑，调脏气，伐肾邪，长阴，益气力，保神守中。○茯神，平，主辟不祥，疗风眩，风虚，五劳，口干，止惊悸，多恚怒，善忘，开心益智，安魂魄，养精神。**以上黑字名医所录。

**名** 茯菟。

**苗**〔图经曰〕出大松下，附根而生，无苗叶花实，作块如拳，在土底。大者至数斤，似人形、龟形者佳，皮黑，肉有赤、白二种。〔衍义曰〕茯苓乃樵斫讫多年松根之气所生，盖根之气，噎郁未绝，故为此物。然亦由土地所宜与不宜，其津气盛者发泄于外，结为茯苓，故不抱根而成，既离其本，则有潜伏之义，故曰茯苓。其茯神虽有津气而不甚盛，故止能伏结于本，根既不离其本，则有藉松之灵，故曰茯神。或云：松既樵矣，而根尚能生物乎？答曰：如马勃、菌、五芝、木耳、石耳之类，皆生于枯木土石之上，精英未沦，安得不为物也。传云：上有菟丝，下有茯苓，及多年松脂，入地所化，甚为轻信。

**地**〔图经曰〕生泰山山谷，泰、华、嵩山，郁州、雍州，南山。〔道地〕严州者佳。

**时**〔生〕无时。〔采〕二月、八月。

**收** 阴干。

**用** 坚实者为上。

**色** 白、赤。

**味** 甘、淡。

**性** 平，缓。

**气** 气之薄者，阳中之阴。

**臭** 朽。

**行** 白者入手太阴经，足太阳经、少阳经，赤者入足太阴经、手太阳经、少阴经。

**主** 利水除湿，益气和中。

**助** 马蔺为之使。

**反** 恶白蔹，畏牡蒙、地榆、雄黄、秦艽、龟甲。

**制**〔雷公曰〕凡采得后去皮心，捣令细，于水盆中搅，令浊浮去之，是茯苓筋。若误服之，令人眼中瞳子并黑睛点小。兼盲目，甚记之。

**治**〔疗〕〔陶隐居云〕白茯苓，通神而致灵，和魂而炼魄，明窍而益肌，厚肠而开心，调荣而理卫。〔药性论云〕白茯苓，开胃，止呕逆，安心神，及肺痿痰壅，并小儿惊痫，疗心腹胀满，妇人热淋。○赤茯苓，破结气。○茯神，安神定志，及惊痫，心下急痛坚满，人虚而小肠不利，加而用之。○心名黄松节，去中偏风，口面㖞斜，毒风，筋挛不语，心神惊掣，虚而健忘。〔日华子云〕白茯苓，安胎，暖腰膝，止健忘。〔汤液本草云〕白茯苓，除湿益燥，和中益气，利腰脐间血。其淡能利窍，甘以助阳，除湿之圣药，所以补脾逐水。湿淫所胜，小便不利，淡味渗泄，阳也，故治水缓脾，生津导气。

○赤茯苓，入丙丁，伐肾邪，小便多能止之，小便涩能利之。〔补〕〔药性论云〕白茯苓，补劳乏。〔日华子云〕白茯苓，补五劳七伤，开心益智。

合治 白茯苓酒浸，合光亮朱砂同用，能秘真。○白茯苓为末，合蜜和，傅面上，疗面皯皰及产妇黑皰如雀卵。○白茯苓合甘草、防风、芍药、紫石英、麦门冬，共疗五脏。

禁 如小便利或数，服之则大损人目；如汗多人服此，损真气，夭人寿。阴虚人不宜服。

忌 醋及酸物。

○ 木之木

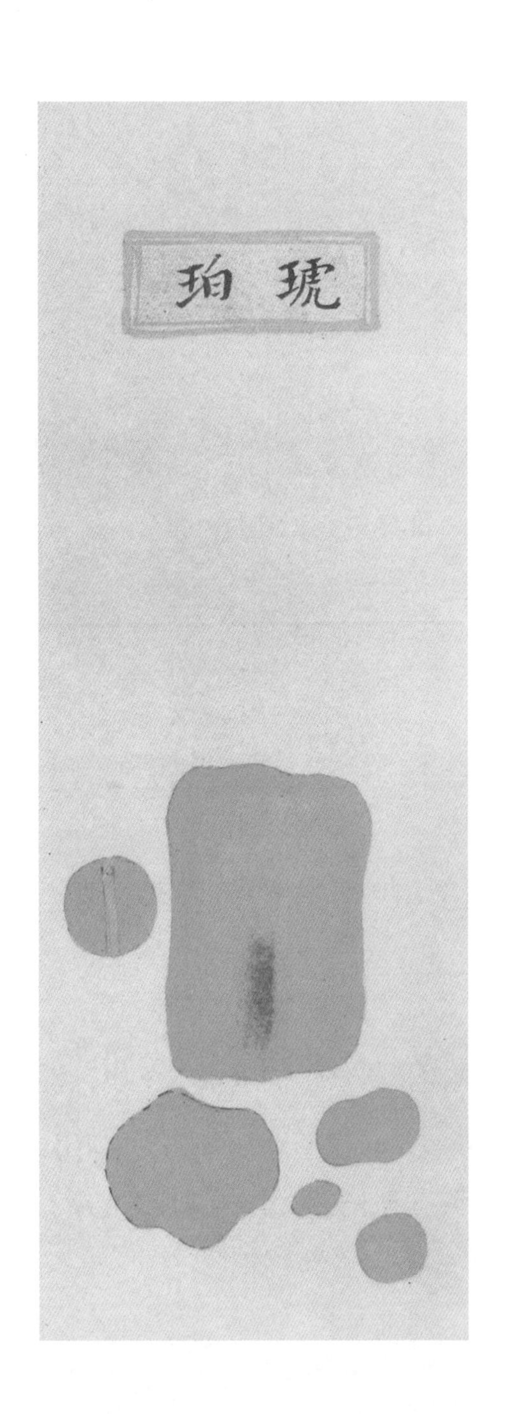


# 琥珀

无毒

琥珀主安五脏，定魂魄，杀精魅邪鬼，消瘀血，通五淋。名医所录。

**名** 石珀、水珀、花珀、物象珀。

**苗**〔图经曰〕松脂入地千年所化而成也。其产之地傍无草木，入土浅者五六尺，深者八九尺。大者如斛，削去其皮，初如桃胶，久乃坚凝，光彩甚丽。是由松树枝节荣盛时，为炎日所灼，流脂出外，日渐厚大，沦入土中津润，岁久乃为土所渗泄，而光莹之体独存，中有蚊虫、蜂蜾之形，恐未入土之时粘着物耶。其类有水珀，多无红色，浅黄，多粗皮皱；石珀如石重，色黄，不堪用；花珀纹似新马尾松心，纹一路赤一路黄；物象珀，其内自有物命动，此使有神妙。然琥珀其色如血，盖生于阳而成于阴故也。欲验其真，以手磨热能拾芥者是矣。

**地**〔图经曰〕生永昌、益州。〔陈藏器云〕出罽宾国。〔别录云〕出南蛮、海南、林邑国，秦象郡林邑县皆有之。

**时**〔生〕无时。〔采〕无时。

**用** 色红润而拾芥者为好。

**质** 类红玛瑙。

**色** 红、黄。

**味** 甘。

**性** 平，缓。

**气** 气厚于味，阳也。

**主** 安心利水，明目磨翳。

**制**〔雷公曰〕夫入药，用水调侧柏子末，安于瓷锅子中，安琥珀于末中了，下火煮，从巳至申，别有异光，别捣如粉，重筛用。

**治**〔疗〕〔药性论云〕除百邪，产后血枕痛。〔日华子云〕消蛊毒，壮心明目，磨翳，止心痛及癫邪，破癥结。

合治 以一两合鳖甲、京三棱各一两，延胡索、没药各半两，大黄二钱五分，熬，捣为散，空心温酒服三钱匕，日再服，能止血生肌，镇心明目，破癥结气块，产后血晕闷绝，儿枕痛并效，若产即减大黄。○为末，合童便调一钱匕，疗金疮，弓弩箭中，闷绝无所识。

赝 煮瑖[1] 鸡子及青鱼枕作者为伪。

① 瑖：原注“大乱切”。

○ 木之木

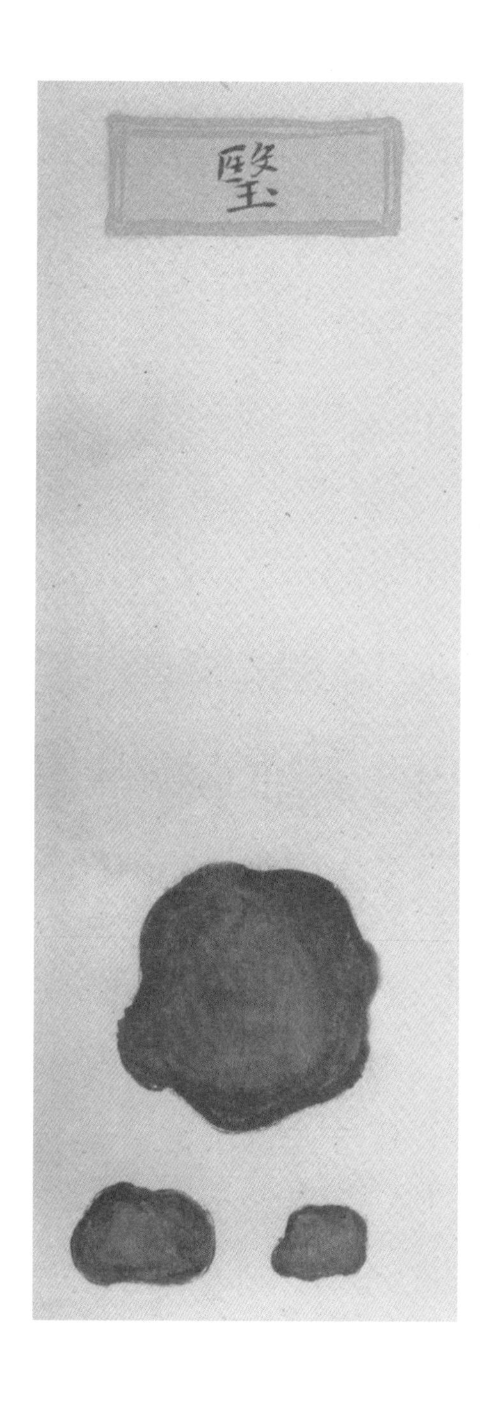


# 鹥

无毒

鹥[1]主补心安神，破血尤善。名医所录。

① 鹥：原注“乌兮切”。

名 木瑿、瑿珀。

地〔图经曰〕古来相传云：松脂入地千年为茯苓，又千年为琥珀，又千年为瑿。然二物烧之，皆有松气，为用与琥珀同，状似玄玉而轻，是众珀之长，故号曰瑿珀。出西戎来而有茯苓处，现[①]无此物。今西州南三百里碛中得者，大则方尺，黑润而轻，烧之腥臭，高昌人名为木瑿，谓玄玉为石瑿。洪州土石间得者，烧作松气。破血生肌，亦与琥珀同。见风拆破，不堪为器量。此二种及琥珀，或非松脂所为也。有此差舛，今略论也。〔谨按〕《本经》云：瑿乃琥珀千年所化。《衍义》云：琥珀谓千年茯苓所化，则其间有粘着蝶、蠃、蜂、蚁，宛然完具者，是极不然也。《地理志》云：林邑多琥珀，实松脂所化耳。此说为胜，但土地有所宜、不宜，故有能化、有不能化者。观琥珀如是，则瑿可知为一物而成者也。

时〔生〕无时。〔采〕无时。

用 黑色光润者为好。

质 类玄玉而轻。

色 黑。

味 甘。

性 平，缓。

气 气厚于味，阳也。

臭 朽。

主 安神，破血。

治〔疗〕〔药性论云〕小儿带之辟恶，磨滴目中，除翳，去赤障。〔别录云〕为末服之，攻妇人小肠癥瘕诸疾。

---

① 现：原作“见”，据科本改。

○ 木之木

# 榆皮

无毒　植生

榆皮出神农本经。主大小便不通，利水道，除邪气。久服轻身不饥，其实尤良。以上朱字神农本经。肠胃邪热气，消肿，性滑利，疗小儿头疮痂疕。○花，主小儿痫，小便不利，伤热。以上黑字名医所录。

**名** 零榆、榆钱[①]。

**苗**〔图经曰〕三月生荚，其仁古人采以为糜羹，今无复食者，惟用其实陈老者作酱尔。然榆之类有十数种，叶皆相似，但皮及木理有异。白榆先生叶，却著荚皮白色，剥之刮去上粗皱，中极滑白，即《尔雅》所谓榆白粉也。此皮入药，今孕妇滑胎方中多用之。刺榆有针刺如柘，古人茹之，云美于白榆，《尔雅》所谓枢荎，《诗·唐风》云：山有枢是也。并勿令中湿，榆皮荒岁农人食之以当粮，其荚过食则令人多睡。嵇公所谓榆令人瞑是也。

**地**〔图经曰〕生颍川山谷，今处处有之。

**时**〔生〕三月生荚。〔采〕四月取实，不拘时取皮。

**收** 暴干。

**用** 皮、荚。

**质** 类桑皮而厚。

**色** 白。

**味** 甘。

**性** 平，缓。

**气** 气之薄者，阳中之阴。

**臭** 腥。

**主** 诸疮癣。

**治**〔疗〕〔药性论云〕通利五淋，治不眠。疗齁，取白皮阴干后焙，杵为末，每日朝夜用水五合，末二钱，煎如胶服，瘥。〔日华子云〕通经脉，涎傅癣。〔孟诜云〕服丹石人，采叶生服一两，顿佳。○子酱，食能助肺，杀诸虫，下气，令人能食，消

---

① 榆钱：原注“荚也，类钱，故云”。

心腹间恶气，卒心痛。〔陈藏器云〕嫩叶作羹食之，压丹石，消水肿。〔食疗云〕涂诸疮癣。〔别录云〕焙干为末，妊娠临月，日三服方寸匕，令产极易，产下儿身尚有之，信其验也。又火灼烂疮，嚼烂白皮傅之，瘥。

合治 为末合苦酒调，涂疗小儿白秃，发不生。○榆荚合牛肉作羹食之，疗妇人带下。○生皮三两捣末，合三年醋滓封之，疗暴患赤肿，日六七易，瘥。亦疗女人妒乳肿。○白皮末合鸡子白调傅，疗五色丹，俗名油肿，若犯多致死，不可轻之，惟此可疗。○皮捣屑，随多少杂米作粥食，疗身体暴肿满，如小便利即瘥。○白皮炒令黄，捣为散，合好苦酒涂，疗身体及头悉生疮。又以绵裹覆上，虫出即瘥。○皮为屑，合檀皮服之，令人不饥。○白皮合菜菹食之，令人能食。及服丹石人食之，取利关节故也。

禁 皮、实并勿令中湿，湿则伤人。

○ 木之木

## 酸枣

无毒　植生

酸枣出神农本经。主心腹寒热，邪结气聚，四肢酸疼，湿痹。久服安五脏，轻身延年。以上朱字神农本经。烦心不得眠，脐上下痛，血转久泄，虚汗烦渴。补中，益肝气，坚筋骨，助阴气，令人肥健。以上黑字名医所录。

**苗**〔图经曰〕似枣木而皮细，其木心赤色，茎叶俱青，花似枣花，八月结实，紫红色，似枣而圆小。《尔雅》辨枣之种类曰：实小而酸曰樲枣。《孟子》曰：养其樲枣。赵岐注：所谓酸枣是也。〔衍义曰〕酸枣微热，《经》不言取仁，仍疗不得眠，天下皆有之，但以土产宜与不宜。《嵩阳子》曰：酸枣县即滑之属邑，其木高数丈，味酸，医之所重，今市人卖者皆棘子。此说未尽，殊不知小则为棘，大则为酸枣；平地则易长，居崖堑则难生，故棘多生崖堑上，久不樵则成干，人方呼为酸枣，更不言棘，徒以世人之意。如此在物，则曷若是也？其实一木，以其不甚为世所须，及碍塞行路，故成大木者少，多为人樵去。然此物才及三尺，便开花结子。但窠小者气味薄，木大者气味厚，又有此别。今陕西临潼山野所出者亦好，此土地所宜也，并可取仁。后有白棘条，乃是酸枣未长大时枝上刺也，及至长成，其刺亦少，实亦大。故枣取大木，刺取小窠也，亦不必强分别尔。〔谨按〕《本经》惟用实疗不得眠，而不言用仁者，恐失于详也。然酸枣肉味酸，服之使不思睡。其核中仁补中益气，服之疗不得眠，正如麻黄发汗，根节止汗之别，用者当审之。

**地**〔图经曰〕生河东川泽，今近京及西北州郡皆有之，野生多在坡坂及城垒间。

**时**〔生〕四月生叶。〔采〕八月取实。

**收** 阴干四十日。

**用** 仁。

**质** 类大枣，仁圆扁而小。

**色** 赤。

**味** 酸。

**性** 平，收。

气 气之薄者，阳中之阴。

臭 香。

主 熟治不眠，生治多睡。

反 恶防己。

制〔雷公云〕凡使，采得后晒干，取叶重拌酸枣仁，蒸半日，了，去皮尖，任研用。

治〔疗〕〔陶隐居云〕酸枣啖之，使人醒睡。〔药性论云〕酸枣仁，主筋骨风，炒为末，作汤服。〔日华子云〕酸枣仁，止脐下满痛。〔食疗云〕酸枣，主寒热结气，安五脏。〔别录云〕枣树棘针朽落地者，以水二升，煎取一升，含之，日四五度，疗齿虫腐烂。

合治 酸枣仁二升，合茯苓、白术、人参、甘草各二两，生姜六两，六物切，以水八升，煮取二升，分四服，疗振悸不得眠。○酸枣仁二升，合知母、干姜、茯苓、芎䓖各二两，甘草一两炙，并切，以水一升，先煮枣减三升，后内五物，煮取三升，分服，疗虚烦不得眠。○酸枣仁一两，炒令香，熟捣细为散，每用二钱，不拘时，合竹叶汤调服，疗胆虚睡卧不安，心多惊悸。盖胆虚不眠者，寒也。○酸枣仁一两，生用合金挺腊茶二两，以生姜汁涂，炙令微焦，捣罗为散，每用二钱，水七分，煎六分，无时温服，疗胆风毒气，虚实不调，昏沉睡多。盖胆实多睡者，热也。

○ 木之木

# 黄檗

无毒　植生

檗木[1]出神农本经。主五脏肠胃中结热，黄疸，肠痔，止泄痢，女子漏下赤白，阴伤蚀疮。以上朱字神农本经。疗惊气在皮间，肌肤热赤起，目热赤痛，口疮。久服通神。○根，主心腹百病，安魂魄，不饥渴。久服轻身，延年通神。以上黑字名医所录。

① 檗木：原注“黄檗也”。

名〔根〕檀桓。

苗〔图经曰〕檗木，黄檗也。木高数丈，叶类吴茱萸，亦如紫椿，经冬不凋。皮外白，里深黄色，根如松下茯苓作结块。别有一种多刺而小细叶者，名刺檗，不入药用。又有一种木如石榴，皮黄子赤，如枸杞，两头尖。人剉以染黄，今医家亦稀用。

地〔图经曰〕生汉中山谷及永昌，今处处有之。〔蜀本图经云〕出房、商、合等州山谷。〔道地〕蜀州者为佳。

时〔生〕春生新叶。〔采〕五月、六月取皮。

收 暴干。

用 皮、根。

质 类厚朴而层层作片。

色 黄。

味 苦。

性 寒，泄。

气 气薄味厚，阴也。

臭 腥。

主 除下部湿热及男子阴疮。

行 足太阳经。

反 恶干漆。

制〔雷公曰〕凡使，用刀削上粗皮了，用生蜜水浸半日，漉出晒干，用蜜涂，文武火炙，令蜜尽为度。凡修事五两，用蜜三两，或盐炒用。

治〔疗〕〔图经曰〕止卒消渴小便多，以一斤，水一升，煮三五沸，渴即饮之，恣意饮，数日便止。〔药性论云〕主男子阴痿，治下血如鸡鸭肝片，及男子茎上疮，屑末傅之。〔日华子云〕安心除劳，及骨蒸，洗肝明目，多泪，口干心热，杀疳虫，治疣心痛，疥癣。〔陈藏器云〕主热疮皰起，虫疮，痢下血，杀蛀虫，煎服主消渴。〔汤液本草云〕泻膀胱之热，利下窍及补肾不足。〔别录云〕以五斤，用水三升，煮浸，疗伤寒时气，温病毒攻，手足肿，疼痛欲断，亦治毒攻阴肿。又切片含之，疗卒喉痹。为末，涂傅小儿脐疮不合。

合治 合蜜炙，疗鼻洪，肠风泻血后分急热，肿痛。身皮力微，次于根。○以三寸合土瓜三枚，大枣七枚，和膏，先用汤洗面，乃涂药，不过四五日，令面悦光泽。○合苦竹沥浸之，点治小儿重舌。○末合苦酒，调傅咽喉卒肿，食饮不通，干复易之，瘥。○末合鸡子白，调涂，治痈疽发背或发乳房，初起微赤，不急治之即杀人。○合蜜，于慢火上炙焦，捣为细末，每服二钱，温糯米饮调下，疗吐血热极。○以少许合黄芪汤中用之，治肾水膀胱不足，诸痿厥，脚膝无力。○合蜜炒为细末，疗口疮如神。○合蜜炙，同青黛各一分，为细末，入龙脑一字研匀，疗心脾热，舌颊生疮，当掺疮上，有涎即吐。

解 食自死六畜肉中毒。

〇 木之木

# 楮实

无毒　植生

楮实主阴痿水肿，益气，充肌肤，明目。久服不饥，不老轻身。〇叶，味甘，无毒，主小儿身热，食不生肌，可作浴汤。又主恶疮，生肉。〇树皮，主逐水，利小便。〇茎，主瘾疹痒，单煮洗浴。〇皮间白汁，疗癣。

名医所录。

**名** 縠实、縠桑、楮桑。

**苗** 〔图经曰〕此有二种，一种皮有斑花纹，谓之斑縠，今人用为冠者；一种皮无花，枝叶大相类，但取其叶，似葡萄叶，作瓣而有子者，为佳。其实初夏生，如杨梅，青绿色，至六七月渐深红乃成熟，俗谓之縠。一说縠，构树也，縠田久废，必生构叶。有瓣曰楮，无瓣曰构。《诗·小雅》云：爰有树檀，其下惟縠。陆机《疏》云：幽州谓之縠桑，或曰楮桑。荆阳交广谓之縠，江南人渍[1]其皮以为布，又捣以为纸。长数丈，光泽甚好，采嫩芽以当菜茹，其汁合朱砂为团，名曰五金胶漆。

**地** 〔图经曰〕生少室山，今所在有之。〔道地〕滁州、明州。

**时** 〔生〕春生叶。〔采〕八月、九月取实。

**收** 日干四十日。

---

① 渍：原作“绩”，据科本改。

用 子、叶、皮、茎。

色 赤。

味 甘。

性 寒，缓。

气 气之薄者，阳中之阴。

臭 朽。

主 水痢，水肿。

制 〔雷公云〕凡使，采得后用水浸三日，将物搅旋，投水浮者去之，然后晒干，却，用酒浸一伏时了，便蒸，从巳至亥，出，焙令干用。

治 〔疗〕〔图经曰〕主四肢风痹，赤白下痢。○叶，主鼻洪及鼻衄出数升不断者，捣取汁，饮三升，如不止再三饮，瘥。○灰，止金疮出血。○木枝中白汁，涂癣，甚效。〔药性论云〕皮，味甘，平，治水肿气满。〔日华子云〕斑穀树叶，治刺风身痒。○穀树汁，疗蛇虫蜂犬咬。〔别录云〕叶，捣烂傅，治癣湿痒。○枝汁，随意服，疗天行后两胁胀满，脐下如水肿。○树白汁，涂，疗蝎螫人痛不止。〔补〕〔日华子云〕壮筋骨，助阳气，补虚劳，助腰膝，益颜色。

合治 楮纸三十张烧灰，合酒半升，调服，疗女子月经不绝，来无时者及蓐中血晕。○干叶三两熬，捣为末，合乌梅煎汤服方寸匕，治瘴痢，无问老少，日夜百余度者，瘥。○干叶炒为末，合面作馎[①]饦[②]食之，主水痢。○穀树叶八两，水一斗，煮六升，去滓，合米煮粥，疗人虚肥，积年气上如水病，面肿，脚不肿。

---

① 馎：原注“浦各切”。

② 饦：原注“他各切”。

○ 木之木

# 干漆

**无毒，《名医》云有毒**

**植生**

干漆出神农本经。主绝伤，补中，续筋骨，填髓脑，安五脏，五缓六急，风寒湿痹。○生漆，去长虫。久服轻身耐老。以上朱字神农本经。疗咳嗽，消瘀血，痞结，腰痛，女子疝瘕，利小肠，去蛔虫。以上黑字名医所录。

**苗**〔图经曰〕木高三二丈，皮白，叶似椿，花似槐，子若牛李，木心黄。六月、七月以竹筒钉入木中取之。崔豹《古今注》曰：以刚斧斫其皮开，以竹管承之，汁滴则成漆。《诗传》曰：木有液黏黑，可饰器物者是也。干漆，旧云：用漆桶中自然干者，状如蜂房，孔孔相隔，今多用筒子内干者，以黑如瑿、坚如铁石者为佳。

**地**〔图经曰〕出汉中川谷，荆[①]襄、歙州皆有之。〔陶隐居云〕梁州、益州、广州。〔道地〕峡州、严州。

**时**〔生〕春生叶。〔采〕六月、七月取滋汁。

**收** 阴干。

**用** 桶篓中自然干硬者佳。

**质** 状如蜂房，孔孔相隔。

**色** 黄、黑。

**味** 辛。

**性** 温，散。

**气** 气之厚者，阳也。

**臭** 臭。

**主** 消瘀血，破疝瘕。

**助** 半夏为之使。

**反** 畏鸡子。

**制** 捣碎，炒令烟尽，或湿漆煎干亦好。

**治**〔疗〕〔药性论云〕杀三虫，治女人经脉不通。〔日华子云〕除传尸劳及除风。

---

① 荆：原作"金"，据《证类本草》改。

合治 干漆一两为末，湿漆一两先入铫子内，熬如一食饭顷，住火，与干漆末一处拌，和丸如半皂子大，每服一丸，合温酒吞下无时，治妇人不曾生长，血气，脏腑疼痛不可忍，及疗丈夫元气，小肠气撮痛者。如元气，小肠、膀胱气痛，牙关紧急，但斡开牙关，温酒化一丸灌下必安，怕漆人不可服。○筒子干漆二两捣碎，炒烟出，细研，合醋糊和为丸，如桐子大，每服五丸至十丸，热酒下，醋汤亦得，治九种心痛及腹胁积聚滞气。○合白芜荑等分为末，米饮调一字至一钱，治小儿胃寒，虫上诸证，危恶与痫相似。○一两为粗末，炒令烟尽，合生[1]漆末一两，以生地黄汁一升入银器中，熬俟可丸，丸如桐子大，每服一丸，加至三五丸，酒饮下，治女人经血不行及诸癥瘕等病，室女万瘕丸，以通利为度。○漆叶合青粘为散，服之，去三虫，利五脏，轻身益气，使人头不白。

禁 生服损人肠胃，妊娠不可服。

忌 油脂。

解 中此毒发，饮铁浆并黄栌汁及甘豆汤，吃蟹并可治之。

① 生：原作“牛”，据印本改。

○ 木之木

# 五加皮

无毒 植生

五加皮出神农本经。主心腹疝气，腹痛，益气，疗躄，小儿不能行，疽疮阴蚀。以上朱字神农本经。男子阴痿，囊下湿，小便余沥，女人阴痒及腰脊痛，两脚疼痹风弱，五缓虚羸，补中益精，坚筋骨，强志意。久服轻身，耐老。以上黑字名医所录。

**名** 豺漆、豺节、追风使、木骨、刺通。

**苗**〔图经曰〕春生苗，茎叶俱青，作丛。赤茎者似藤蔓，高三五尺，上有黑刺。叶生五叉作簇者良，四叶、三叶者最多，为次，每一叶下生一刺。三四月开白花，结细青子，至六月渐黑色。根若荆根，皮黄黑，肉白，骨坚硬，蕲州人呼为木骨。一说今所用乃有数种，京师北地者大，片类秦皮、黄檗辈，平直如板而色白，绝无气味，疗风痛颇效，余不堪用。吴中乃剥野椿根为五加皮，柔韧而无味，殊为乖失。今江淮间所生乃为真者，类地骨皮，轻脆芬香是也。其苗茎有刺，类蔷薇，长者至丈余，叶五出，如桃花，香气如橄榄，春时结实如豆粒而扁。春青得霜乃紫黑，吴中亦多，俗名为追风使，亦曰刺通，剥取酒渍以疗风，乃不知其为五加皮也。江淮、吴中往往为藩篱，正似蔷薇、金樱辈。

一如上所说，但北间多不知用此种耳。〔雷公云〕今五加皮其树本是白楸树，其上叶如蒲叶者，其叶三花是雄，五叶花是雌。剥皮阴干，阳人使阴，阴人使阳。

**地**〔图经曰〕生汉中及冤句，今湖南州郡、京师北地、蕲州皆有之。〔道地〕江淮间及吴中者佳。

**时**〔生〕春生苗。〔采〕五月、七月取茎皮，十月取根皮。

**收** 阴干。

**用** 皮。

**质** 类地骨皮，轻脆而芬香。

**色** 褐。

**味** 辛、苦。

**性** 温、微寒，散。

**气** 气厚味薄，阳中之阴。

**臭** 香。

**主** 诸痹风湿，坚壮筋骨。

**助** 远志为之使。

**反** 畏蛇皮、玄参。

**制** 剉碎用。

**治**〔疗〕〔药性论云〕能破逐恶风血，四肢不遂，贼风伤人，软脚臂[①]腰，主多年瘀血在皮肌及痹湿，内不足并虚羸，小儿三岁不能行，用此便行走。〔日华子云〕明目下气，治中风，骨节挛急。○叶，治皮肤风。〔补〕〔日华子云〕补五劳七伤。

**合治** 酿酒饮之，治风痹，四肢挛急。

---

① 臂：原注“公对切”。

# 牡荆实

无毒　植生

牡荆实主除骨间寒热，通利胃气，止咳逆下气。名医所录。

名 黄荆。

苗 〔图经曰〕此即作棰杖者，俗名黄荆是也。枝茎坚劲作棵，不为蔓生，故称牡。叶如蓖麻，更疏瘦，花红作穗，实细而黄，如麻子大，或云即小荆也。此有青、赤二种，以青者为佳。〔唐本注云〕今人相承，多以牡荆为蔓荆，此极误也。

地 〔图经曰〕生河间、南阳、冤句山谷，或平寿都乡高岸上及田野中。今眉州、蜀州，近京亦有之。

时 〔生〕春生叶。〔采〕八月、九月取实。

收 阴干。

用 实、根、叶及沥。

质 类麻子。

色 黄。

味 苦。〔叶〕苦。〔根〕甘。

性 温。〔叶〕平。〔根〕平。

气 气厚于味，阳中之阴。

臭 香。

主 止咳逆，利胃气。

助 防风为之使。

反 恶石膏。

制 用沥，取茎于火上烧之，两头以器承取。

治 〔疗〕〔唐本注云〕叶，主久痢，霍乱转筋，血淋，下部疮湿䘌，薄脚及脚气肿满。○根，水煮服，主心风头风，肢体诸风，解肌发汗。〔陈藏器云〕荆木取茎截，于火上烧，以物承取沥，饮之，去心闷烦热，头风旋，目眩，心头瀁瀁欲吐，卒失音，小儿心热惊痫，止消渴，除痰唾，令人不睡。〔别录云〕荆沥二升，火煎至一升六合，每服四合，日夜一度，治心虚，惊悸不定，羸瘦。稍稍含咽之，治喉肿生疮。服五六合，止下赤白痢五六年者。涂，治湿瘑疮。○烧木出黄汁，傅，治目卒痛。○叶袋盛，傅[1]蛇伤疮毒肿上。

**合治** 实合术、柏实、青葙，疗头风。○荆叶取汁，合酒服二合，疗九窍出血。

① 傅：原作“薄”，据科本改。

## 木之走

# 蔓荆实

无毒

蔓荆实出神农本经。主筋骨间寒热，湿痹拘挛，明目坚齿，利九窍，去白虫，长虫。久服轻身，耐老。以上朱字神农本经。主风头痛，脑鸣，目泪出，益气，令人光泽，脂致[1]，小荆实亦等。以上黑字名医所录。

---

① 致：原注“音雉”。

苗〔图经曰〕蔓生水滨，苗茎蔓延。春因旧枝而生小叶，五月叶成，如杏叶。六月有花，浅红色，蕊黄。九月实熟，上有黑斑，大如梧子而虚轻，冬则叶凋。〔唐本注云〕蔓生，叶似杏叶而细，茎长丈余，花红白色。今人误以小荆为蔓荆，遂将蔓荆子为牡荆子也。〔蜀本注云〕或云蔓荆即牡荆，以理推之，蔓生者为蔓荆，树生者为牡荆。蔓生者大如梧子，树生者细如麻子。据今之用，正如梧子而轻虚，则蔓荆是蔓生者明矣。〔衍义曰〕蔓荆实，诸家所解蔓荆、牡荆纷纠①不一。《经》既言蔓荆，明知是蔓生，即非高木也。既言牡荆，则自是木上生者，况《汉书·郊祀志》所言以牡荆茎为幡竿，故知蔓荆即子大者是，又何疑焉！故《图经》云：一说作蔓生者，名蔓荆，而今之所有并非蔓生也。

① 纠：原注“音九”。

地〔图经曰〕旧不载所出州土，今近京及秦、陇、明、越州多有之。〔道地〕眉州。

时〔生〕春生叶。〔采〕八月、九月取实。

收 晒干。

用 实。

质 类荜澄茄，稍大而有白膜。

色 苍黑。

味 辛、苦。

性 温、微寒。

气 气味俱轻，阳中之阴。

臭 香。

主 清头目，散风邪。

行 足太阳经。

反 恶乌头、石膏。

制〔雷公云〕凡使，去蒂子，下白膜一重，用酒浸一伏时后蒸，从巳至未，出，晒干，杵碎用。

治〔疗〕〔药性论云〕祛贼风，能长髭发。〔日华子云〕利关节，治赤眼，痫疾。〔汤液本草云〕凉诸经血，止头痛及目暗内痛。

禁 胃虚人勿服，恐生痰疾。

## 四种海药余

**藤黄**谨按《广志》云：出鄂、岳等州诸山崖，其树名海藤。花有蕊散落石上，彼人收之，谓沙黄。就树采者轻妙，谓之腊草。酸涩有毒，主蚛牙蛀齿，点之便落。据今所呼铜黄，谬矣。盖以铜藤语讹也。按此与石泪采无异也，画家及丹灶家并时用之。

**返魂香**谨按《汉书》云：汉武帝时，西国进返魂香。《武王内传》云：聚窟洞中上有返魂树，采其根，于釜中以水煮，候成汁方去滓，重火炼之如漆，候凝则香成也。西国使云：其香名有六。帝曰：六名何？一名返魂，一名惊精，一名回生，一名震坛，一名人马精，一名节死香。烧之一豆许，凡有疫死者，闻香再活，故曰返魂香也。

**海红豆**谨按徐表《南州记》云：生南海人家园圃中，大树而生，叶圆有荚。微寒，有小毒，主人黑皮皯黯，花癣，头面游风，宜入面药及藻豆。近右蜀中种亦成也。

**莎木**谨按《蜀记》云：生南中八郡，树高数十余丈，阔四五围，叶似飞鸟翼，皮中亦有面，彼人作饼食之。《广志》云：作饭饵之，轻滑美好，白胜。桄榔面。味平，温，无毒。主补虚冷，消食，彼人呼为莎面也。

## 一十三[①]种陈藏器余

**乾陀木皮**味平，无毒。主破宿血，妇人血闭，腹内血块，酒煮服之。生安南。皮厚，堪染者，叶如樱桃。《海药》云按《西域记》云：生西国，彼人用染僧褐，故名乾陀褐色也。树大皮厚，味平，温，主癥瘕气块，温腹暖胃，止呕逆并良也。

**含水藤中水**味甘，平，无毒。主止渴，润五脏。山行无水处，断之得水可饮，清美，去湿痹烦热。生岭南，叶似狗蹄，煮汁服之，主天行时气。捣叶，傅中水烂疮皮皴。刘欣期《交州记》亦载之也。《海药》云谨按《交州记》云：生岭南及诸海山谷，状若葛，叶似枸杞，多在路行人乏水处，便吃此藤，故以为名。主烦渴心躁，天行疫气，瘴疠，丹石发动，亦宜服之。

**皋芦叶**味苦，平。作饮止渴，除痰不睡，利水明目。出南海诸山。叶似茗而大，南人取作当茗，极重之。《广州记》云：新平县出皋芦。皋芦，茗之别名也。叶大而涩。又《南越志》曰：龙川县出皋芦，叶似茗，味苦涩，土人为饮，南海谓之过罗，或曰物罗，皆夷语也。《海药》云谨按《广州记》云：出新平县，状若茶树，阔大。无毒，主烦渴热闷，下痰，通小肠淋，止头痛。彼人用代茶，故人重之，如蜀地茶也。

① 三：原作“二”，据目录改。

**蜜香**味辛，温，无毒。主臭，除鬼气。生交州，大树，节如沉香。《异物志》云：蜜香，虫名。又云：树生千岁，斫仆之四五岁乃往看，已腐败，惟中节坚贞是也。树如椿，按《法华经注》云：木蜜，香蜜也。树形似槐而香，伐之五六年乃取其香。《海药》云谨按《内典》云：状若槐树。《异物志》云：其叶如椿。《交州记》云：树似沉香无异。主辟恶，去邪鬼，尸疰，心气。生南海诸山中，种之五六年便有香也。

**阿勒勃**味苦，大寒，无毒。主心膈间热风，身黄，骨蒸寒热，杀三虫。生佛逝国，似皂荚圆长，味甜好吃，一名婆罗门皂荚也。《海药》云按《异域记》云：主热病及下痰，杀虫，通经络。子疗小儿疳气。凡用，先炙令黄用。

**鼠藤**味甘，温，无毒。主丈夫五劳七伤，腰脚痛冷，阴痿，小便数白，益阳道，除风气，补衰老，好颜色。取根及茎细剉，浓煮服之，讫取微汗。亦浸酒如药酒法，性极温，服讫稍令人闷无苦。生南海海岸山谷。作藤绕树茎，叶滑净，似枸杞，花白，有节心虚，苗头有毛。南人皆识其藤，有鼠咬痕者良，但须嚼咽其汁验也。《海药》云谨按《广州记》云：生南海山谷，藤蔓而生，鼠爱食此，故曰鼠藤。咬处即人用入药。彼人食之，如吃甘蔗，味甘美，主腰脚风冷，大补水脏，好颜色，长筋骨，并剉，浓煎服之。亦取汁浸酒，更妙。

**浮烂罗勒**味酸，平，无毒。主一切风气，开胃，补心，除冷痹，和调脏腑。生康国。似厚朴也。

**灵寿木根皮**味苦，平。止水，作杖令人延年益寿。生剑南山谷。圆长皮紫。《汉书》孔光年老，赐灵杖，《颜注》曰：木似竹有节，长不过八九尺，围可三四寸，自然有合杖之制，不须削理也。

**綟木**味甘，温，无毒。主风血，羸瘦，补腰脚，益阳道，宜浸酒。生林泽山谷。木纹侧，故曰綟木。

**斑珠藤**味甘，温，无毒。主风血，羸瘦，妇人诸疾，浸酒服之。生山谷中，不凋，子如珠而斑，冬取之。

**阿月浑子**味辛，温，涩，无毒。主诸痢，去冷气，令人肥健。生西国诸蕃。云与胡榛子同树，一岁榛子，二岁浑子也。

**不雕木**味苦，温，无毒。主调中补衰，治腰脚，去风气，却老变白。生太白山岩谷。树高二三尺，叶似槐，茎赤有毛，如棠梨。

**曼游藤**味甘，温，无毒。久服长生延年，去久嗽。出犍为牙门山谷。如寄生，著大树，春华色紫，叶如柳。张司空云：蜀人谓之沉藟藤，亦治癣。

本草品汇精要卷之十六

# 本草品汇精要

## ·卷之十七·

# 木部
## 上品之下

| | |
|---|---|
| 六种 | **神农本经** 朱字 |
| 二种 | **名医别录** 黑字 |
| 三种 | **唐本先附** 注云唐附 |
| 七种 | **宋本先附** 注云宋附 |
| 一种 | **唐慎微附** |
| 一种 | **今补** |
| 四种 | **海药余** |
| 一十三种 | **陈藏器余** |

**已上总三十七种，内八种今增图**

辛夷
桑上寄生
杜仲
枫香脂唐附，皮附
女贞实枸骨、冬青附
木兰
蕤核
丁香宋附，母丁香附
沉香
薰陆香宋附，今增图
乳香宋附，今增图
鸡舌香宋附，今增图
詹糖香宋附，今增图
檀香宋附，今增图
降真香唐慎微附，今增图
苏合香今增图
龙脑香唐附，相思子附，自中品今移
安息香唐附，自中品今移并增图
金樱子宋附
樟脑今补

四种海药余

落雁木
栅木皮
无名木皮
奴会子

一十三种陈藏器余

龙手藤
放杖木
石松
牛奶藤
震烧木
木麻
帝休
河边木
檀桓
木蜜
朗榆皮
那耆悉
黄屑

# 本草品汇精要卷之十七

## 木部上品之下

### 木之木

## 辛夷

无毒　植生

辛夷出神农本经。主五脏，身体寒热，风头脑痛，面䵟。久服下气，轻身明目，增年耐老。以上朱字神农本经。

**温中解肌，利九窍，通鼻塞涕出，治面肿引齿痛，眩冒身兀兀如在车船之上者，生须发，去白虫，可作膏药。**以上黑字名医所录。

**名** 辛矧、侯桃、房木、迎春、木笔。

**苗**〔图经曰〕木高数丈，叶似柹叶而狭长。正月、二月生花，其苞似著毛小桃子。其蕊初发如笔，故以木笔名之。花白蒂[①]紫，落时无实，至夏其杪复著花。又有一种枝叶并相类，但岁一开花，四月落时有子，如相思子。或云是一种，经一二十年老者方结实，其开花先后亦随南北风土节气尔。〔衍义曰〕辛夷先花后叶，即木笔花也，最先春。以其花未开时，花苞有毛蕊，光长如笔，故取象曰木笔。有红、紫二本，一本如桃花色者，一本紫者。今入药当用紫色者，仍须未开时收之，入药当去毛苞。

**地**〔图经曰〕生汉中川谷，今处处皆有，而人家园庭亦多植之。〔陶隐居云〕出丹阳近道。

**时**〔生〕春生苗。〔采〕正月、二月取花，九月取实。

**收** 暴干。

**用** 花蕊缩者良，已开者劣，谢者不佳。

**色** 紫。

**味** 辛。

**性** 温，散。

**气** 气之厚者，阳也。

**臭** 香。

**主** 利窍通鼻。

**助** 芎䓖为之使。

**反** 畏菖蒲、蒲黄、黄连、石膏、黄环，恶五石脂。

---

① 蒂：原作“带”，据《证类本草》改。

制〔雷公云〕凡用之，去粗皮，拭上赤肉毛了，即以芭蕉水浸一宿，漉出，用浆水煮，从巳至未，出，焙干用。若治眼目，即一时去皮，用向里实者，或炙用。

治〔疗〕〔药性论云〕去面生皯皰。面脂用，主光泽。〔日华子云〕通关脉，明目及头痛憎寒，体禁瘙痒。

禁 毛射人肺，令人咳。

○ 木之木

# 桑上寄生

无毒 寄生

桑上寄生出神农本经。主腰痛，小儿背强[①]，痈肿，安胎，充肌肤，坚发齿，长须眉。○实，明目轻身，通神。以上朱字神农本经。

桑上寄生主金疮，去痹，女子崩中，内伤不足，产后余疾，下乳汁。以上黑字名医所录。

① 强：原注“巨两切”。

名 寄屑、寓木、宛童、茑[1]。

苗〔图经曰〕是乌鸟食物，子落枝节间，感气而生也。其叶似橘而厚软，茎似槐枝而肥脆。三四月生花，黄白色，六月、七月结实，黄色，如小豆。大凡槲、榉、柳、水杨、枫等上皆有寄生，惟桑上者堪用。然殊难辨别，医家非自采不敢用。或云：断其茎而视之，其色深黄并实，中有汁稠粘者为真。〔衍义曰〕若以为鸟食物，子落枝节间，感气而生，则麦当生麦，谷当生谷，不当但生此一物也。又有于柔滑细枝上生者，如何得子落枝节间？由是言之，自是感造化之气，则是一物。古人当日惟取桑上者，实假其气尔。〔朱丹溪云〕近海州邑及海外，其地暖，其地不蚕，由是桑木得气厚生意浓而无采捋之苦，但叶上自然生出，且所生处皆是光泽皮肤之上，何曾有所为节间可容化树子也。

地〔图经曰〕出弘农川谷桑树上，今处处有之。〔道地〕江宁府。

时〔生〕春生叶。〔采〕三月三日取茎、叶。

收 阴干。

用 茎、叶。

质 叶如橘而厚软，茎似槐而肥脆。

色 青、黄。

味 苦、甘。

性 平，缓。

气 气之薄者，阳中之阴。

臭 香。

---

① 茑：原注“音鸟，又音吊”。

主 安胎孕，止漏血。

制〔雷公云〕凡使，在树上自然生独枝树是也。采得后，用铜刀和根、枝、茎细剉，阴干了，任用，勿令见火。

治〔疗〕〔药性论云〕能令胎牢固，及怀妊漏血不止。〔补〕〔日华子云〕助筋骨，益血脉。

禁 他木寄生者，服之杀人。

# 杜仲

无毒　植生

杜仲出神农本经。主腰脊痛，补中，益精气，坚筋骨，强志，除阴下痒湿，小便余沥。久服轻身，耐老。以上朱字神农本经。**脚中酸疼，不欲践地**。以上黑字名医所录。

名 思仲、木绵、思仙、棉芽。

苗〔图经曰〕木高数丈，叶颇似辛夷，圆而有尖，亦似柘叶。其皮全类厚朴，但折之其中有丝，光亮如绵，相连不断。虽剉碎，其丝尚存，须经火炒方尽，故入药必以炒断丝为度。南人谓之棉者，此也。初生嫩时采之可食，其实亦入药用，但苦涩不堪食。木可作屐，其性亦能益脚也。

地〔图经曰〕生上虞山谷及上党、汉中，今出商州、成州、峡州，近处大山中亦有之。〔道地〕建平、宜都者佳。

时〔生〕春生叶。〔采〕二月、五月、六月、九月取皮。

收 晒干。

用 皮。

质 类厚朴，内有白丝。

色 紫。

味 辛、甘。

性 平，温。

气 气之厚者，阳也。

臭 朽。

主 益精气，坚筋骨。

反 恶蛇蜕皮、玄参。

制〔雷公云〕凡使，先须削去粗皮横理，切令丝断，用酥蜜炙之，细剉用。凡修事杜仲一斤，酥二两、蜜三两，二味相和，令一处用也。或盐炒、酒炒入药。

治〔疗〕〔图经曰〕初生嫩叶食，去风毒，脚气及久积风冷，肠痔下血，亦宜干末作汤。〔药性论云〕除肾冷膂[1]，腰痛也，腰病人虚而身强直，风也。腰不利，加而用之。〔日华子云〕能治肾劳腰脊挛，入药炙用。〔洁古云〕壮筋骨，脚弱无力以行。

**合治** 一两去粗皮，炙微黄，剉碎，以水二盏，煎至一盏，去滓，合羊肾二对，细切，去脂膜，入药中煮，次入薤白七茎，盐、花椒、姜、醋等作羹，空腹食之，疗卒患腰脚疼痛，补肾气。○一斤合酒二升，渍十日，服三合，治腰背痛。○以杜仲瓦上焙[2]干，于木臼中捣为末，煮枣为丸，如弹子大，每服一丸，烂嚼，以糯米饮下，治妇人胎脏不安并产后诸疾。

---

① 膂：原注“公对切”。
② 焙：原无，据印本补。

〇 木之木

# 枫香脂

无毒 附皮 植生

枫香脂主瘾疹风痒，浮肿齿痛。〇树皮，味辛、平，有小毒，主水肿，下水气，煮汁用之。名医所录。

名 白胶香。

苗〔图经曰〕木似白杨，甚高大，叶圆作歧，有三角而香。二月有花白色，乃连著实，大如鸭卵。八月、九月熟，暴干可烧。《南方草木状》曰：枫实惟九真有之，用之有神，乃难得之物。五月斫树为坎，脂流于内。十一月采之为白胶香。《尔雅》谓枫为摄，摄言天风则鸣摄摄也。《说文解字》云：枫木，厚叶弱枝，善摇，汉宫中多植之，至霜后叶丹可爱，故骚人多称之。任昉《述异记》曰：南中有枫子鬼，枫木之老者，为人形，亦呼为灵枫，盖瘤瘿也。至今越巫有得之者，以雕刻鬼神，可致灵异。〔衍义曰〕枫香、松脂皆可乱乳香，尤宜区别。枫香微黄白色，烧之尤见真伪。

地〔图经曰〕旧本不载所出州郡，所在大山皆有，今南方及关陕多有之。〔唐本注云〕生商洛之间。

时〔生〕春生叶。〔采〕十一月取脂。

收 阴干。

用 脂、皮。

质 类乳香。

色 黄黑。

味 辛、苦。

性 平，散。

气 气之薄者，阳中之阴。

臭 香。

主 浮肿齿痛。

治〔疗〕〔别录云〕白胶香研为末，新汲水调服，治吐血不止。〔日华子云〕皮，止霍乱，刺风冷风，煎汤浴之。〔陈藏器云〕皮，水煎，止下痢。

解 枫树菌，食之令人笑不止，以地浆解之。

木之木

# 女贞实

无毒　附枸骨、冬青

植生

女贞实主补中，安五脏，养精神，除百疾。久服肥健，轻身不老。

神农本经。

**苗**〔图经曰〕《山海经》云：泰山多真木，是此木也。树高数丈，其叶似枸骨及冬青，木极茂盛，凌冬不凋。花细，青白色，九月而实成，似牛李子。或云即今冬青木也。而冬青木肌理白，纹如象齿，道家取以为简，其实亦浸酒，去风补血。叶烧灰，作面膏涂之，治瘅瘃殊效，兼灭瘢疵。李邕云：五台山冬青，叶似椿，子如郁李，微酸性热，与此小有同异，当是别有一种耳。又岭南有一种女贞，花极繁茂而深红色，与此殊别，不闻入药品也。枸骨木多生江浙间，木体白似骨，故以为名。南人取以旋作合器，甚佳。《诗·小雅》云：南山有枸。陆机云：山木，其状如栌，一名枸骨，理白可为函板者，是此也。

**地**〔图经曰〕生武陵川谷及泰山，今处处皆有之。

**时**〔生〕春生新叶。〔采〕立冬取实。

**收** 暴干。

**用** 实。

**质** 类牛李子。

**色** 黑。

**味** 苦、甘。

**性** 平泄。

**气** 味厚于气，阴中之阳。

**臭** 朽。

**主** 安五脏，养精神。

**治**〔疗〕〔图经曰〕枸骨枝叶，烧灰，淋取汁，涂白癜风。〔日华子云〕冬青皮，去血，补益肌肤。

**合治** 枸骨皮浸酒，补腰脚，令健。○冬青子浸酒，去风血，补益。

○ 木之木

# 木兰

无毒 植生

木兰出神农本经。主身大热在皮肤中，去面热，赤疱，酒齇，恶风，癫疾，阴下痒湿，明耳目。以上朱字神农本经。疗中风，伤寒及痈疽，水肿，去臭气。以上黑字名医所录。

名 林兰、杜兰。

苗〔图经曰〕木高数丈，叶似菌桂，叶亦有三道纵纹，皮如板桂，纵横有纹。香味劣于桂，此与桂枝全别。而韶州所生者，乃云与桂同是一种，取外皮为木兰，中肉为桂心，盖是桂中之一种尔。昔人尝刻其木以为舟，诗家所谓木兰舟者，是此木也。〔陶隐居云〕零陵诸处皆有，状如楠树，皮甚薄而味辛香。今益州[1]有，皮厚，状如厚朴，而气味为胜。今东人以山桂皮当之，亦相类。

**地**〔图经曰〕生零陵山谷及泰山，今湖、岭、韶、春、蜀州皆有之。〔道地〕益州。

**时**〔生〕春生叶。〔采〕三月、四月、十一月、十二月取皮。

**收** 阴干。

**用** 皮。

**质** 类厚朴而薄。

**色** 紫。

**味** 苦。

**性** 寒，泄。

**气** 气薄味厚，阴也。

**臭** 香。

**主** 恶风，癞疾。

**合治** 皮细切一斤，合三年酢浆渍之，百日出，于日中晒，捣末，浆水服方寸匕，日三，疗面上皶皰皯黯。○皮一尺，广四寸，削去粗皮，合醋一升渍取汁，疗小儿重舌，以汁注舌上，瘥。

① 州：原脱，据科本补。

○ 木之木

# 蕤核

无毒　植生

蕤核出神农本经。主心腹邪结气，明目，目赤痛伤，泪出。久服轻身，益气不饥。以上朱字神农本经。目肿眦烂，齆鼻，破心下结痰痞气。以上黑字名医所录。

**名** 口椹。

**苗** 〔图经曰〕其木高五七尺，茎间有刺，叶细似枸杞而尖长，花白。子红紫色，附枝茎而生，类五味子，六月成熟，古今方中治眼甚效[①]。

**地** 〔图经曰〕生函谷川谷及巴西，今河东亦有之。〔陶隐居云〕彭城。〔道地〕并州。

**时** 〔生〕三四月。〔采〕五月、六月取实。

**收** 阴干。

**用** 实。

**质** 类郁李仁。

**色** 黄白。

**味** 甘。

**性** 温、微寒。

**气** 气之薄者，阳中之阴。

**臭** 香。

**主** 目中诸疾。

**制** 〔雷公云〕凡使，先去壳取仁，汤浸，去皮尖，擘作两片，用芒消、木通草二味和蕤仁同水煮，一伏时后沥出，去诸般药，取蕤仁研成膏，任加减，入药中使。每修事四两，用芒消一两、木通草七两。

**治** 〔疗〕〔药性论云〕止鼻衄。

**合治** 蕤核仁去皮，研为膏，缘此性稍湿难为末。合宣州黄连末等分和匀，取无蚛病干枣三枚，割头少许留之，去却核，以二

① 效：原作“要”，据罗马本改。

药满填于中，却，取所割枣头依前合定以少绵裹之，用水半碗于银器中文武火煎取一鸡子大，仍以绵滤，待冷点眼，疗风痒，或生翳或赤眦皆治之。

○ 木之木

# 丁香

无毒 附母丁香 植生

丁香主温脾胃，止霍乱，壅胀，风毒诸肿，齿疳䘌，能发诸香。○根，疗风热毒肿。

名医所录。

苗〔图经曰〕木类桂，高丈余，叶似栎，凌冬不凋。盛冬生花，圆细黄色，其子出枝蕊上，如钉子，长三四分而紫色。其中有粗大如山茱萸者，谓之母丁香也。〔海药云〕二月、三月花开紫白色，至七月始成实。其小者为丁香，大者如巴豆，即母丁香也。〔谨按〕已上二说，花实先后不同。考之《本经》云：出于交广、南蕃、广州者，冬月生花，次年春采子；出于东海及昆仑国者，二三月开花，八月采子。盖地土有寒暖不同然尔。

地〔图经曰〕生交广、南蕃，今惟广州有之。〔海药云〕生东海及昆仑国。

时〔生〕春生新叶。〔采〕二月、八月取实。

收 晒干。

用 花蕊及根实。

色 紫。

味 辛。

性 温散。

气 气之厚者，阳也。

臭 香。

主 冷气腹痛，霍乱呕吐。

行 手太阴经，足阳明经、少阴经。

制〔雷公云〕凡使，有雄雌，雄颗小，雌颗大，似杯枣核，方中多使雌，力大；膏煎中用雄，若欲使，须去丁盖。

治〔疗〕〔药性论云〕除冷气，腹痛。〔日华子云〕治口气，反胃，鬼疰，蛊毒及肾气，奔豚气，阴痛，祛冷气，杀酒毒，消痃癖，除冷劳。〔衍义曰〕治口中秽气及脾胃冷，气不和。○母丁香，缝绛纱囊如小指实，末内阴中，主阴冷，病瘥即已。〔海药云〕去风疳䘌，骨槽劳臭诸气，杀虫及五痔，辟恶去邪，并奶头花，止五色毒痢，正气，止心腹痛。○皮，治齿痛。〔别录云〕以十四枚为末，沸汤一升调服，治干霍乱，不吐不下。又水调方寸匕，疗妒乳乳痈。〔补〕〔日华子云〕壮阳，暖腰膝。〔海药云〕乌髭发。

合治 末合蜜调涂，治桑蝎螫人。○以二两合酒二升，取半分服，疗崩中昼夜不止。○合干柿蒂各一两，捣罗为散，每服一钱，煎人参汤不拘时调下，疗伤寒咳噫不止及哕逆不定。○母丁香主须发变白，以生姜汁研，拔去白须，涂孔中即异常黑也。○合五味子、广茂，疗奔豚之气，能泄肺补胃，大能疗肾。

○ 木之木

# 沉香

无毒　植生

沉香疗风水毒肿，去恶气。名医所录。

苗〔图经曰〕其木类椿、榉，但多节而青，花白，子似槟榔，大如桑椹，紫色。夷人采时先断老根，俟其雨水渍久，其不朽烂者，择而取之，必得坚黑沉水，中心不空者最佳，乃沉香之上品，宜入药用。其次，细枝紧实者为青桂香，半沉半浮者为鸡骨香，粗者为栈香，树自枯烂者为生结香，伐仆烂脱者为黄熟香，淡黄者为散黄香。又有麻叶、竹叶、马蹄、牛头等香，不啻二十余品。其实一种，但有精粗之异耳，俱不堪入药用。〔衍义曰〕岭南旁海诸州所产最多，山民或以构屋架桥，而有香者百无一二。盖木得水则香方结，所以多在折枝枯干中，或有自枯而死者，为水盘香，又谓之角沉、黄沉，俱堪药用。及有南恩、高、窦等州山民，见香木必以刀斫成坎，经久得雨水所渍，遂结香为斑点，故名鹧鸪斑，爇之极清烈。又琼、崖等州有依木

皮而结者，谓之青桂，气尤清馥。在土中岁久，不待刓剔而成者，谓之龙鳞。亦有削之自卷，咀之柔韧，谓之黄蜡沉，尤难得也。如窦、化、高、雷、中国出香之地也，比诸海南优劣不侔，何也？盖所禀既殊，复售者多而取者速，是以黄熟不俟，少成栈沉不待。似是，盖趋利戕贼之深也。非若琼管黎人，非时不妄剪伐，故木无夭札之患，而香亦得以全其用也。

地〔图经曰〕出海南诸国，及岭南、交广诸郡有之。〔道地〕琼、崖等州。

时〔生〕无时。〔采〕无时。

用 坚实沉水者良。

色 黑黄。

味 辛。

性 微温，散。

气 气之厚者，阳也。

臭 香。

主 升降诸气。

制〔雷公云〕凡使，须要不枯者，如觜角硬沉，重于水下为上。若丸散中用，须候众药出，即入拌和之，不宜见火。

治〔疗〕〔陶隐居云〕消恶核肿毒。〔日华子云〕调中，去邪气，止转筋，吐泻，冷气，破癥癖，冷风麻痹，骨节不任，湿风皮肤痒，心腹痛，气痢。〔补〕〔日华子云〕补五脏，益精壮阳，暖腰膝。〔衍义曰〕保和卫气，为上品药。〔东垣云〕能养诸气，上而至天，下而至泉，用为使，最相宜。〔汤液本草云〕补右肾命门。

合治 合酒煮服，主心腹痛，霍乱，中恶邪，鬼疰，清人神。○合乌药磨服，走散滞气。

木之木

# 薰陆香

无毒　植生

薰陆香主风水毒肿，去恶气伏尸。名医所录。

苗〔图经曰〕其木生于海边沙上，盛夏木胶流出沙上，形似白胶，夷人取得卖与贾客，乳香亦其类也。〔唐本注云〕出天竺及邯郸，似松脂，黄白色，天竺者多白，邯郸者夹绿色，香不甚。〔衍义曰〕薰陆香木叶类棠梨，南印度界阿吒厘国出，今谓之西香，南番者更佳。此即今人谓之乳香，因其垂滴如乳故以名之。熔塌在地者，谓之塌香，皆一类也。

地〔图经曰〕出天竺、单于二国及大秦国。〔衍义曰〕出南印度阿吒厘国。〔道地〕南番者佳。

时〔生〕无时。〔采〕无时。

收 阴干。

用 脂。

质 类白胶香。

色 黄白，邯郸者夹绿色。

味 辛。

性 微温，散。

气 气之厚者，阳也。

臭 香。

主 去恶气，除肿毒。

制 用时以缯袋挂于窗隙间，良久取研之，乃不黏也。

治〔疗〕〔唐本注云〕去恶气，消恶疮。〔别录云〕嚼薰陆香，咽其汁，治齿虫痛不可忍。

○ 木之木

# 乳香

《日华子》云微毒 植生

乳香主风水毒肿，去恶气，疗风瘾疹痒毒。

名医所录。

苗〔衍义曰〕木叶类棠梨，南印度界阿吒厘国出，今谓之西香，南番者更佳。此即今谓之乳香，由其垂滴如乳故也。其熔塌在地者，谓之塌香，其实一也。〔谨按〕木高一二丈，其体大小拱把不一，叶如榆而极大，对生枝间。又有似叶而小者，两傍附枝如箭翎。然其香即木液流出凝积而成者也。锐器于皮上锥之，白汁随出，经久累累，色亦紫赤。盖薰陆总名也，乳香是薰陆之乳头也。新出未杂沙土者，谓之乳香，重叠不成乳头及杂沙土者，谓之薰陆也。旧说出海外，今京都西山及近道多有之。

地〔图经曰〕出南海、波斯国。〔别录云〕出天竺、单于二国。

时〔生〕无时。〔采〕无时。

收 阴干。

用 脂明洁者佳。

色 赤黄。

味 辛。

性 微温。

气 气味俱厚，阳也。

臭 香。

主 下气止痛。

制 凡使置篛上，以灰火烘焙熔化，候冷研细用。

治〔疗〕〔日华子云〕下气，止霍乱，冲恶，中邪气，心腹痛疰气。煎膏止痛，长肉。〔陈藏器云〕疗耳聋，中风，口噤不语，善治妇人血气，能发酒，理风冷，止大肠泄澼，疗诸疮，令内消。〔补〕〔日华子云〕益精，补腰膝，治肾气。

合治 黄明乳香一分，细研为末，合母猪血和匀，丸如梧桐子大，每服酒下五丸，能催生。○端午日午时或岁除夜，用乳香为末，收猪心血相和为丸，如鸡头大，以红绢袋盛挂于门上，如患子死腹中者，令酒磨下一丸，效。○合甘遂各半两，同研细末，每服半钱，用乳香汤调下，治急慢惊风，或小便调服亦妙。○为末，合胆矾烧炙等分，治甲疽，胬肉，裹甲脓血，疼痛不瘥，傅之，以肉消为愈。凡此疾须剔去肉中甲，虽不治亦愈。

# 鸡舌香

无毒　植生

鸡舌香主风水毒肿，去恶气，疗霍乱，心痛。名医所录。

**名** 丁子香。

**苗** 〔图经曰〕枝叶及皮并似栗，其花如梅花，子似枣核，此雌者也。雄者着花不实。或云：采花酿之以成香者，今不复见。《埤雅》云：是沉香木花。又云：草花蔓生，实熟贯之，其说无定。盖鸡舌香与丁香同种，花实丛生，其中心最大者为鸡舌香，击破有解理，如鸡舌者，此乃是母丁香也。俗又以其似丁子，故谓之丁子香，如古方五香连翘汤用鸡舌香，《千金》五香连翘汤无鸡舌香却有丁香，况旧本原无丁香一条，则知丁香与鸡舌香为一种，此最为验明矣。〔别录云〕三省故事尚书郎口含此奏事，欲使对答，其气芬香。《千金方》皆谓是母丁香，《抱朴子》入眼方用之，其说自相矛盾。若《药性论》谓入香中令人身香及为丁子香，则可谓之母丁香。若《抱朴子》为可入眼，则丁香恐非所宜。若云含之奏事，口中热臭不可近，以乳香中所拣者含之，虽无香味，口得不臭，亦有淡利九窍之理也，用当量之。

**地** 〔图经曰〕出昆仑及交爱以南。

**时** 〔生〕二月、三月开花。〔采〕七月、八月取实。

**收** 暴干。

**用** 花。

**色** 紫赤。

**味** 辛。

**性** 微温。

**气** 气之厚者，阳也。

**臭** 香。

**主** 去恶气，止心痛。

治〔疗〕〔图经曰〕除口臭，破诸气。〔别录云〕煮汁含之，疗龋齿。以绵裹其末含之，疗唇舌忽生疮。

合治 合酒研服，疗暴气刺心切痛者。○合黄连、乳汁煎，治目中之病。○末入吹鼻散中用，杀脑疳。

○ 木之木

# 詹糖香

无毒　植生

詹糖香疗风水毒肿，去恶气，伏尸。名医所录。

苗〔图经曰〕木似橘，煎枝叶以为香，往往以其皮及蠹屑和之，难得纯好者，唐方多用，今亦稀见。出晋安岑州，上真纯者难得，多以其皮及蠹虫屎杂之，惟软者为佳，余香无真伪而有精粗尔。〔唐本注云〕詹糖树似橘，煎枝为香，似沙糖而黑，出交广以南，云詹糖香也。

地〔图经曰〕出交广以南、晋安、岑州。

时〔生〕春生叶。〔采〕无时。

收 暴干。

色 黑。

味 辛。

性 微温。

气 气之厚者，阳也。

臭 香。

主 水毒肿。

治〔疗〕〔陶隐居云〕除恶核毒。〔唐本注云〕消恶疮。

○ 木之木

# 檀香

无毒　植生

檀香主心腹痛，霍乱，中恶鬼气，杀虫。名医所录。

地〔图经曰〕其木如檀，故名檀香。生南海，有数种，黄、白、紫之异，今人盛用之。苏恭云：出昆仑盘盘国。虽不生于中华，人间偏有之。一种生江淮及河朔山中，其木作斧柯者，亦檀香类，但不香耳。其叶至夏有不生者，忽然叶开，当有大水，农人以测水旱，号为水檀。又有一种叶亦相类，高五六尺，生高原地，四月开花正紫，亦名檀，根如葛，有小毒也。〔谨按〕此有黄、白、紫之异，其气味亦优劣也。黄者极清芬，白者次之，紫者又次之。入药不可不别。

时〔生〕春生叶。〔采〕无时。

收 暴干。

用 木。

质 类檀木。

色 黄白。

味 辛。

性 热。

气 气味俱厚，阳也。

臭 香。

主 心腹痛，霍乱。

行 手太阴经，足少阴经，通行阳明经。

制 剉碎用，不见火。

治〔疗〕〔图经曰〕消风热肿毒。○檀根，主疮疥，杀虫。〔日华子云〕檀香，浓煎服，治肾气腹痛，霍乱。水磨，傅外肾并腰肾痛处。

# 降真香

无毒　植生

降真香拌和诸杂香，烧烟直上天，召鹤得盘旋于上。名医所录。

**地**〔别录云〕生南海山及大秦国。〔谨按〕此有二种，枝叶未详。出于番中者，紫色坚实而香，为上；出于广南者，淡紫不坚而少香，为次。其番中来者，烧之能引鹤降，功力极验，故名降真。宅舍怪异，烧之辟邪。

**用** 紫色坚实者为好。

**质** 类苏方木。

**色** 紫。

**味** 甘。

**性** 温，平。

**气** 气之厚者，阳也。

**臭** 香。

**主** 天行时气。

**治**〔疗〕〔海药云〕小儿带之，能辟邪恶之气。

# 苏合香

无毒　煎炼成

苏合香主辟恶，杀鬼精物，温疟，蛊毒，痫痓，去三虫，除邪，令人无梦魇。久服通神明，轻身长年。名医所录。

**苗**〔图经曰〕苏恭云：此香从西域及昆仑来，紫色，与真紫檀相似而坚实，极芬香。其香如石，烧之灰白者好，今不复见。广南虽有而类苏木，无香气。药中但用如膏油者，极芬烈也。《梁书》云：天竺出苏合香，是诸香汁煎之，非自然一物也。又云：大秦国采得苏合香，先煎其汁，以为香膏，乃卖其滓与诸人。是以展转来达中国者，不甚香也。然则广南货者已经煎炼之余，今用膏油乃其合治成者。陶隐居以为是狮子屎，亦是指此膏油为言。然狮子屎今内帑亦有之，其臭极甚，烧之虽可辟邪恶，固知非此也。其胡人将来诳言狮子屎者，亦是西国草木皮汁所为，即今之膏香也。盖胡人欲贵重之，故妄饰其名而诳之耳。

**地**〔图经曰〕生中台川谷及昆仑中、天竺国。

**时**〔生〕无时。〔采〕无时。

**收** 瓷器盛贮。

**用** 膏。

**质** 类蜂蜜而香。

**色** 黄白。

**味** 甘。

**性** 温。

**气** 气之厚者，阳也。

**臭** 香。

**主** 辟邪恶，愈痫痓。

**制** 滤去滓入药。

**治**〔疗〕〔唐本余〕除鬼魅。

○ 木之木

# 龙脑香

无毒　附相思子　植生

龙脑香及膏香主心腹邪气，风湿积聚，耳聋，明目，去目赤肤翳。名医所录。

**苗**〔图经曰〕木高七八丈，大可六七围，如积年杉木状，傍生枝叶，正圆而背白，结实如豆蔻，皮有甲错。香即木中脂，似白松脂，作杉木气。膏乃根下清液尔，亦谓之婆律膏。明净者善，久经风日或如雀屎者不佳。段成式《酉阳杂俎》说：此木有肥瘦，瘦者出龙脑香，其香在木心，波斯断其木煎取之；肥者出婆律膏，其青于木端流出，斫木作坎而承之。两[①]说大同而小异。或云：南海山中亦有此木，唐天宝中，交趾贡龙脑，皆如蝉蚕之形。彼人云老根节方有之，然极难得，时禁中呼为瑞龙脑。带之衣衿，香闻十余步外，自后不闻有此。今海南龙脑多用火煏成片，其中亦容杂伪，入药惟贵生者，状若梅花瓣，甚佳也。〔衍义曰〕龙脑条中与《图经》所说各未尽，此物大通利关膈热塞，其清气为百药之先，大人、小儿风涎闭壅及暴得惊热甚济用。然非常服之药，独行则势弱，佐使则有功。于茶亦相宜，多则掩茶气味，万物中香无出其右者。西方抹罗短吒国在南印度境，有羯布罗香，干如松株，叶异，湿时无香，采干之后折之，中有香，状类云母，色如冰雪，此龙脑香也。〔陈藏器云〕相思子，平，有小毒，通九窍，治心腹气，令人香，止热闷，头痛风痰，杀腹脏及皮肤内一切虫。又主蛊毒，取二七枚，末服，当吐出。生岭南，树高丈余，子赤黑间者佳。旧本原附于此，今仍录之。

**地**〔图经曰〕出婆律国，今惟南海番舶货之，西方亦有。

**时**〔生〕无时。〔采〕无时。

**收** 阴干，合糯米、炭、黑豆、相思子同贮之，则不耗。

**用** 脂明净者为好。

---

① 两：原作“而”，据《证类本草》改。

**质** 类樟脑而碎小作片。

**色** 白。

**味** 辛、苦。

**性** 微寒，散。一云：温，平。

**气** 气之薄者，阳中之阴。

**臭** 香。

**主** 明目退翳。

**治** 〔疗〕〔唐本注云〕下恶气，消食，散胀满，香人口。〔衍义曰〕通利关膈热塞，大人、小儿风涎闭壅及暴得惊热。〔海药云〕主内外障眼，杀三虫，除五痔，明目，镇心秘精。又以少许研，新汲水调服，治妇人难产，立生。〇苍龙脑，主风疮皯䵟，入膏煎良。〔南海药谱云〕龙脑油，磨一切风。

**合治** 龙脑合天南星等分，为末，乳钵内研，自五月五日午时合出者，名开关散，治急中风，目瞑牙禁。无门下药者，以中指点散子揩齿三二十，揩大牙左右，其口自开。〇龙脑一钱细研，旋滴猪心血，和丸如鸡头肉大，每服一丸合紫草汤下，治时疾发豌豆疮，及赤疮子未透，心烦狂躁，气喘妄语。或见鬼神者，服此少时，心神便定得睡，疮复发透，依常将息取安。

**禁** 苍龙脑点眼则有伤。

# 安息香

无毒　植生

安息香主心腹恶气，鬼疰。名医所录。

**苗**〔段成式《酉阳杂俎》云〕树高三丈许，皮色黄黑，叶有四角，经冬不凋。二月开花，黄色，花心微碧，不结实。刻其树皮则脂如饴，亦若松脂、桃胶，黄黑色为块，新者亦柔韧[①]。六七月坚凝，乃取之烧，则通神，辟众恶，故波斯呼其木为辟邪树。

**地**〔图经曰〕出西戎。〔海药云〕生南海、波斯国。

**时**〔生〕春生新叶。〔采〕六月、七月取脂。

**收**阴干。

**用**脂。

**质**类松脂。

**色**黄黑。

**味**辛、苦。

**性**平，散。

**气**气之薄者，阳中之阴。

**臭**香。

**主**通神辟恶。

**治**〔疗〕〔日华子云〕除邪气，魍魉，鬼胎，血邪，辟蛊毒，肾气，霍乱，风痛及妇人血噤并产后血晕。〔海药云〕主男子遗精，暖肾，辟恶气。

**合治**合臭黄为丸，疗妇人夜梦鬼交，烧熏丹穴，永断。

---

① 韧：原注“音刃”。

# 金樱子

无毒　丛生

金樱子主脾泄下痢，止小便利，涩精气。久服令人耐寒，轻身。

名医所录。

**苗** 〔图经曰〕此即今之刺梨子也。从生郊野中，叶尖有刺，大类蔷薇。四月开白花，夏秋结实，形似山栀，无棱有刺，内有细子而多毛。初生微黄，味涩，熟则色赤，微甘。江南、蜀中人作煎，以酒调服，补治殊效，方术多用之。

**地**〔图经曰〕旧不载所出州土，今南中州郡在处有之，以江西、剑南、岭外者为胜。〔道地〕舒州、泉州、宜州。

**时**〔生〕春生叶。〔采〕十一月、十二月取实。

**收** 阴干。

**用** 实。

**质** 类山栀，无棱而有刺。

**色** 赤。

**味** 酸、涩。

**性** 平、温。

**气** 气厚于味，阳中之阴。

**主** 涩精，脾泄。

**制**〔孙真人云〕金樱子煎经霜后半黄时采，红熟则失本性。以竹夹子摘取，于大木臼中转杵去刺，勿损破，擘为两片，去其子并内毛，以水淘洗过，烂捣。入大锅以水煎，不得绝火，煎约水耗一半取出，澄滤去滓，仍慢火煎似稀饧为度。今入丸散，擘开两片，刮去子毛用。

**治**〔疗〕〔别录云〕子，止遗泄。〔日华子云〕花，止冷热痢，杀寸白蛔虫。〇皮止泻血及崩中带下。

**合治** 子合鸡头实作水陆丹，益气补真。〇东行根剉碎二两，合糯米三十粒，水二升，煎五合，空心服，治寸白虫，须臾泻下，神效。〇花合铁粉研，拔白发，傅之再出黑者，亦可染发。

**禁** 未经霜采服之，令人利。

○ 木之木

# 樟脑

有小毒　煎炼成

樟脑主杀虫，除疥癣，疗汤火疮，敌秽气，辟邪恶。今补[1]。

① 今补：原作“新增”，据目录改。

**名** 韶脑、潮脑。

**苗** 〔谨按〕木高四五丈，径大丈许，皮如柳而坚实。叶似梨，厚大，而面青碧，背丹如枫，枝干婆娑荫地。夏开白花，五出若梅，秋结子，至冬成实如榛，褐色，而不堪啖，惟可作油燃灯而已。凡造樟脑，先砌土灶一座，上置铁锅数口，伐其木极大者，截剥去枝皮，以鹰嘴槽斧砍研柤块，每锅下木柤五斤，入水浸过三指许。

以瓷盆覆之，湿布密塞缝处，勿令气泄，各用文武火熬两时方止。候冷，其脑升凝于盆底，以翎扫装瓷器内，仍封之，谓之青脑。复出焙于别灶，其灶长六尺，阔减其半，高亦似之。以木五六楞，竹笆藉可灶，方筛于上，内布如芡实大砂子厚寸许，灶面四旁，用泥围，高四五寸，将青脑分置瓷盘，各以碗覆之，下用柴火慢烧，从晨至暮，其脑升凝碗底而成饼，色白莹洁。火不宜紧，紧则色黄。焙灶横开，圭窦内干，坑深尺余，不然，楞木必燎，脑亦废矣。

**地** 生福建福州府罗源深山谷及漳州府，或道傍郊野中亦有之。

**时** 〔生〕无时。〔采〕无时。

**收** 瓷器密贮。

**用** 明净者佳。

**质** 类焰硝而润。

**色** 白。

**味** 苦、辛。

**性** 温。

**气** 气之厚者，阳中之阴。

**臭** 香。

**制** 碎用。

**治** 〔疗〕〔普济方云〕作膏治诸恶疮及打扑伤损，风湿脚气等疾。○入薰香内用之，收毛绒衣服则不蛀。

**合治** 合香油研，傅汤火疮，定痛。如疮湿干，掺上，其痛立止，火毒不入内也。

**禁** 不入汤药中用。

## 四种海药余

### 木之走：落雁木　无毒　蔓生

**落雁木**谨按徐表《南州记》云：生南海山野中，藤蔓而生，四面如刀削。代州雁门亦有藤萝，高丈余，雁过皆缀其中，故曰落雁木。又云：雁衔至代州雁门，皆放落而生，以此为名。蜀中雅州亦出。味平，温，无毒，主风痛伤折，脚气肿，腹满虚胀。以粉木同煮汁蘸洗，并立效。又主妇人阴疮浮疱，以椿木同煮之，妙也。《图经》曰落雁木生雅州，味甘，性平，无毒，治产后血气痛，并折伤内损等疾。其苗作蔓，缠绕大木，苗、叶形色大都似茶，无花、实。彼土人四月采苗入药用。

**栅木皮**谨按《广志》云：

生广南山野郊。汉《尔雅注》云：栅木如桑树，味苦，温，无毒，主霍乱吐泻，小儿吐乳，暖胃正气，并宜煎服。

**无名木皮**谨按徐表《南州记》云：生广南山谷，大温，无毒，主阴肾痿弱，囊下湿痒，并宜煎取其汁，小浴，极妙也。其实号无名子，波斯家呼为阿月浑，状若榛子，味辛，无毒，主腰冷阴，肾虚弱，房中术使用者众，得木香、山茱萸良也。

**奴会子**谨按《拾遗》云：生西国诸戎，大小如苦药子，味辛，平，无毒，主治小儿无辜疳冷，虚渴，脱肛，骨立瘦损，脾胃不磨。刘五娘方用为煎，治孩子瘦损也。

### 一十三种陈藏器余

**龙手藤**味甘，温，无毒。主偏风口㖞，手足瘫痪，补虚益阳，去冷气风痹。斟酌多少，以醇酒浸，近火令温，空心服之。取汁，出安荔浦山。石上向阳者，叶如龙手，因以为名，采之无时也。

**放杖木**味甘，温，无毒。主一切风血，理腰脚，轻身，变白不老，浸酒服之。生温括睦婺山中，树如木天蓼。老人服之，一月放杖，故以为名也。

**石松**味苦，辛，温，无毒。主人久患风痹，脚膝疼冷，皮肤不仁，气力衰弱，久服好颜色，变白不老，浸酒良。生天台山石上，如松，高一二尺也。

**牛奶藤**味甘，温，无毒。主荒年，食之令人不饥，取藤中粉食之，如薯根，令人发落，牛好食之。生深山，大如树。

**震烧木**主火惊失心，煮服之。又取挂门户间，大压火灾，此霹雳木也。

**木麻**味甘，无毒。主老血，妇人月闭，风气羸瘦，癥瘕，久服令人有子。生江南山谷林泽，叶似胡麻，相对，山人取以用酿酒也。

**帝休**主不愁，带之愁自消矣。生少室嵩高山。《山海经》曰：少室山有木，名帝休，其枝五衢，黄花黑实，服之不愁。今嵩山应有此木，人未识，固可求之，亦如萱草之忘忧也。

**河边木**令饮酒不醉，五月五日取七寸投酒中二遍，饮之，必能饮也。

**檀桓**味苦，寒，无毒。主长生神仙，去万病。末为散，饮服方寸匕，尽一枝有验。此百岁蘖之根，如天门冬，长三四尺，别在一旁，以小根缀之，一名檀桓，《芝灵宝方》亦云。

**木蜜**味甘，平，无毒。止渴除烦，润五脏，利大小便，去膈上热，功用如蜜。树生南方，枝叶俱可啖，亦煎食如饴，今人呼白石木蜜，子名枳椇，味甜。《本经》云木蜜，非此，中汁如蜜也。崔豹《古今注》云：木蜜生南方，合体甜软可啖，味如蜜，老枝煎取，倍甜，止渴也。

**朗榆皮**味甘，寒，无毒。主下热淋，利水道，令人睡。生山中，如榆皮有滑汁，秋生荚如北榆。陶公只见榆作注，为南土无榆也。

**那耆悉**味苦，寒，无毒。主结热，热黄，大小便涩，赤丹毒，诸热，明目，取汁洗目，主赤烂热障。生西南诸国，一名龙花也。

**黄屑**味苦，寒，无毒。主心腹痛，霍乱，破血，酒煎服之，主酒疸目黄，及野鸡病，热痢，下血，水煮服之。从西南来。煮并作屑，染黄用之，树如檀。

本草品汇精要卷之十七

# 本草品汇精要

## ·卷之十八·

# 木部 中品之上

一十三种　神农本经 朱字

三种　名医别录 黑字

四种　唐本先附 注云唐附

二种　宋本先附 注云宋附

一种　今分条

二十三种　陈藏器余

**已上总四十六种，内三种今增图**

| | | |
|---|---|---|
| 桑根白皮桑椹、桑耳、叶汁[①]附 | 五木耳[②]蕈菌附，今分条并增图 | |
| 竹叶根、汁、实、沥、皮、茹、笋、竹黄、苦竹、篁竹附 | | |
| 吴茱萸根、叶并梂子根附 | 槟榔 | 栀子 |
| 紫鉚[③]今增图 | 麒麟竭唐附 | 食茱萸唐附，皮附 |
| 芜荑 | 枳壳宋附 | 枳实 |
| 厚朴 | 茗苦榛唐附 | 秦皮 |
| 秦椒 | 山茱萸胡颓子附 | |
| 紫葳凌霄花也，茎、叶、根附 | 胡桐泪唐附 | 白棘 |
| 棘刺花实、枣针附 | 猪苓刺猪苓附 | 墨宋附，今增图 |

二十三种陈藏器余

| | | |
|---|---|---|
| 必栗香 | 榈木 | 研药 |
| 黄龙眼 | 箭竿及镞[④] | 元慈勒 |
| 都咸子及皮叶[⑤] | 凿孔中木 | 栎木皮 |

---

① 汁：原作“灰”，据正文药名改。

② 五木耳：原作《本经》药，此作新分条药，未计入《本经》药味数中。

③ 鉚：原注“音矿”。据《证类本草》“紫鉚”合于同卷“麒麟竭”中，此作《别录》药，应属今分条药，但未计入新分条药味数中。

④ 及镞：原无，据正文药名补。

⑤ 及皮叶：原无，据正文药名补。

| | | |
|---|---|---|
| 省藤 | 松杨木皮[1] | 杨庐耳 |
| 故甑蔽 | 椶木 | 象豆 |
| 地主 | 腐木 | 石刺木根皮[2] |
| 楠木枝叶[3] | 息王藤 | 角落木皮[4] |
| 鸩鸟浆 | 紫珠 | |

① 皮：原无，据正文药名补。
② 根皮：原无，据正文药名补。
③ 枝叶：原无，据正文药名补。
④ 皮：原无，据正文药名补。

# 本草品汇精要卷之十八

## 木部中品之[1]上

### 木之木

## 桑根白皮

附桑椹、桑耳，俱无毒。叶汁，有小毒　植生

桑根白皮出神农本经。主伤中，五劳六极，羸瘦，崩中，脉绝，补虚益气。〇叶，主寒热出汗。〇桑耳，黑者主女子漏下，赤白汁，血病，癥瘕，积聚，阴痛，阴阳寒热，无子。以上朱字神农本经。去肺中水气，

① 之：原无，据义例补。

唾血，热渴，水肿，腹满，胪胀，利水道，去寸白，可以缝金疮。〇叶汁，有小毒，解蜈蚣毒。〇桑耳，疗月水不调。其黄熟陈白者，止久泄，益气，不饥；其金色者，治癖饮，积聚，腹痛，金疮。以上黑字名医所录。

名 栀[①]、女桑、山桑、家桑、鸡桑[②]、桑耳、桑菌、木麦[③]、桑黄、桑巨。〔叶〕神仙叶[④]。

苗〔图经曰〕木高一二丈，春生叶，至夏结实，生青绿熟紫黑，根皮黄白色，如虎斑。其叶可以饲蚕。根出土上者不可用，惟用东行根益佳。或曰：木白皮亦可用也。桑叶以夏秋再生者为上。木耳名桑黄，有

---

① 栀：原注“树半无椹”。

② 鸡桑：原注“叶椏者”。

③ 木麦：原注“《蜀本》麦，作麰，诠笱切”。

④ 神仙叶：原注“霜后枯者”。

黄熟陈白者，又有金色者，皆可用。皮上白藓花名桑花，状似地钱。其柴烧灰淋汁，医家亦多用之。《尔雅》云：女桑，桋桑。桑木之小而条长者为女桑。又山桑，木堪弓弩。檿桑丝中琴瑟，皆材之美者也，他木鲜及焉。

地〔图经曰〕处处有之。

时〔生〕春生叶。〔采〕无时。

收 暴干。

用 根皮，东行者佳。

质 类北苦参而厚大。

色 白。

味 甘。

性 寒。

气 气之薄者，阳中之阴。

臭 腥。

主 上气咳嗽，五劳羸瘦。

行 手太阴经。

助 续断、桂心、麻子为之使。

反 恶铁及铅。

制〔雷公云〕以铜刀剥上青黄薄皮一重，只取第二重白嫩青涎者，于槐砧上用铜刀剉，焙令干，勿使皮上涎落。涎是药力而不可去也。

治〔疗〕〔图经曰〕桑叶，煮汤，淋渫手足，去风痹。○桑枝，消水气，肺气，脚气，痈肿及遍体风痒，干燥风气，四肢拘挛，上气，眼晕，肺气嗽，消食，利小便。久服轻身，聪明耳目，令人光泽兼疗口干。○桑花，止衄血，吐血。○皮中白汁，涂小儿口疮并金刃所伤，燥痛，须臾血止。更剥白皮裹之，令汁得入疮中，良。〇桑上蠹虫，止暴心痛，金疮肉生不足。〔唐本注云〕桑叶，除脚气，水肿，利大小肠。〇桑椹，止消渴。〔药性论云〕根白皮，止肺喘咳，水气浮肿，主绝伤，利水道，消水气。〔日华子云〕根白皮，调中，下气，消痰止渴，利大小肠，开胃，下食，杀腹脏虫，止霍乱吐泻。〇家桑东行根汁，治小儿天吊惊痫，客忤及傅鹅口疮。〇家桑叶，利五脏，通关节，下气。煎服除风痛，出汗并扑损瘀血。〔陈藏器云〕叶汁，除霍乱，腹痛，吐下，合金疮并小儿口脂疮。煎如赤糖，去老风及宿血。〇桑椹，利五脏关节，通血气，久服不饥。〔孟诜云〕根白皮，煮汁饮，利五脏。〇桑叶，炙煎饮，止渴。〔萧炳云〕桑叶，炙煮饮，止霍乱。〔汤液本草云〕根白皮，除肺气，止唾血，热渴，消水肿。〔补〕〔药性论云〕根白皮，主虚劳，客热，头痛，内补不足。〔日华子云〕根白皮，益五脏。〔汤液本草云〕根白皮，治伤中，五劳，羸瘦，补虚益气。又云：甘以固元气，辛以泻肺气之有余。

合治 作线，缝金疮，肠出者，更以热鸡血涂上，立效。〇叶炙微干，和桑衣煎服，治痢，亦疗金疮及诸损伤，止血。又蒸后盐挼傅治蛇、虫、蜈蚣咬疼痛处。〇桑椹，合蜜食之，能令人聪明，安魂，镇神。〇黑椹，暴捣末，合蜜为丸，每日服六十丸，变白不老。〇椹合蝌蚪各一升瓶盛封闭，悬屋东头一百日，尽化为泥，染白鬓如漆。〇椹二七枚，和胡桃脂研如泥，拔去白发，点孔中即生黑者。〇桑灰，淋取汁为煎，与冬灰等同，灭痣疵黑子，蚀恶肉。煮小豆大，下水胀，傅金疮，止血，生肌。

禁 根出土上者，杀人。

○ 木之木

# 五木耳

无毒 寄生

五木耳主益气不饥，轻身强志。神农本经。

名 檽[1]。

苗〔唐本注云〕楮、槐、榆、柳、桑耳，此为五耳。软者并堪啖。〔药性论云〕蕈耳亦可单用，古槐、桑、柘树上者良，其余树上不堪用。又煮浆粥罨槐木上，草覆之而生者为次也。

① 檽：原注"音软"。

〔孟诜云〕菌子有数种，槐树上生者良。野田中者，恐有毒杀人，不宜食也。

地〔图经曰〕生犍为山谷，处处有之。

时〔生〕六月多雨时。〔采〕无时。

收 暴干。

用 古槐、桑上者良。

色 黄、白、黑。

性 平，寒。

气 气之薄者，阳中之阴。

臭 朽。

主 利五脏。

治〔疗〕〔药性论云〕桑耳，治女子崩中，带下，月闭血凝，产后血凝，男子痃癖。兼疗伏血，下赤血。○蕈耳，能治风，破血，益力。〔孟诜云〕木耳，利五脏，宣肠胃气壅，毒气。〔日华子云〕桑耳，止肠风，泻血，妇人心腹痛。〔唐本注云〕槐耳，疗痔疾。

禁 其余树上者，食之多动风气，发痼疾，令人肋下急损经络。○食菌子，发五脏风壅，经脉动，痔疾，令人昏昏多睡，背膊、四肢无力。

○ 木之飞

# 竹叶

无毒　附根、汁、实、皮、茹、笋　丛生

竹叶出神农本经。主咳逆上气，益筋急，恶疡，杀小虫。○根，作汤，益气止渴，补虚，下气。○汁，主风痓。○实，通神明，轻身，益气。以上朱字神农本经。箽竹叶，大寒，无毒，除烦热，风痉，喉痹，呕吐。○根，消毒。○淡竹叶，味辛，平，大寒，主胸中痰热，咳逆上气。○沥，大寒，疗暴中风，风痹，胸中大热，止烦闷。〇皮茹，微寒，主呕啘，温气寒热，吐血，崩中，溢筋。〇苦竹叶及沥，疗口疮，目痛，明目，利九窍。〇竹笋[①]，味甘，无毒，主消渴，利水道，益气，可久食。以上黑字名医所录。

名 妒母草[②]。

苗〔谨按〕竹之为物，其根从致而多筋节者也。其萌曰笋，经旬日余高四五尺，解箨成竿，渐至丈余，放梢生叶。叶似篛而狭短，体圆，质劲，虚心，直节，凌冬不凋，故以岁寒名之。然其类甚多，而堪入药者不过三四种而已。《竹谱》云：篁竹坚而促节，皮白

---

① 竹笋：原注"《蜀本》作诸笋"。

② 妒母草：原注"言笋，旬有六日而齐母，故俗呼云"。

如霜。苦竹有白，有紫。甘竹从生如篁而茂，即淡竹也。一种肉薄，节间有粉，与诸竹相等者，亦谓之淡竹，医家所贵，炙其汁曰竹沥，刮其皮曰竹茹。穗于枝曰竹实。虽出一体，其疗疾之功则各有所尚也。抑考竹实，大如鸡子，竹叶层层包裹，味甘胜蜜。传称鸾凤食之，必非常物也。今近道竹间开白花，实似小麦，南人号为竹米。诸竹有此即死。《稽圣赋》云：竹布实而根枯是也。鸾凤所食者，岂谓是哉。

地〔图经曰〕处处有之。

时〔生〕春生苗。〔采〕不拘时取。

用 叶、根、实、笋、茹、沥。

色 青绿。

味 苦。

性 平、大寒，泄。

气 气味俱薄，阴中微阳。

臭 朽。

主 止烦解渴，清热消风。

**制** 剉碎用。凡用茹，以刀刮青皮上膜。竹沥，以青嫩竹火炙之，汁出为沥矣。

**治** 〔疗〕〔药性论云〕淡竹叶，主吐血，热毒风，压丹石毒，止消渴。其竹烧沥，治卒中风，失音不语。苦者及去眼赤。○青竹茹，止肺痿，唾血，鼻衄，消五痔。〔日华子云〕淡竹并根，消痰去热狂，烦闷，中风，失音不语，壮热，头痛，头风并怀妊妇人头旋倒地，止惊悸，瘟疫，迷闷，小儿惊痫天吊。枝叶同用。○苦竹，止渴，解酒，除烦热，发汗并治中风失音。作沥功用与淡竹同。〔陈藏器云〕苦竹笋，主不睡，去面目并舌上热黄，止渴，明目，解酒毒，除热气，健人，除烦热。〔孟诜云〕笋，除逆气，烦热。○慈竹沥，疗热风，和食饮服之良。〔蜀本图经曰〕竹节间黄白者名竹黄，制丹石药毒，发热。〔别录云〕淡竹上，甘竹次，主咳逆，消渴，痰饮，喉痹，鬼疰，恶气，杀小虫，除烦热。○苦竹叶，主口疮，目热，瘖瘂。○苦竹茹，主下热壅。○苦竹根一斤，水五升，煮取一升服，治五脏热毒气。○淡竹沥，大寒，主中风，大热，烦闷，劳复。○淡竹茹，主噎膈，鼻衄。〔汤液本草云〕竹叶，除烦热，缓皮而益气，阴中微阳，凉心经。〔丹溪云〕竹沥，《本草》云大寒，泛观其意，以与石膏、芩、连等同类。而诸方治产后、胎前诸病及金疮，口噤，与血虚自汗，消渴尿多皆阴虚之病，无不缩手待尽，哀哉。《内经》曰：阴虚发热，大寒而能补，正与病对。薯蓣寒而能补，世或用之。惟竹沥因大寒置疑，是犹因盗嫂受金而弃陈平之国士也。竹沥，味甘，性缓，能除阴虚之有大热者。大寒者，言其功也，非以气言也，幸相与可否。若曰不然，世人吃笋自幼至老者，可无一人因笋寒而病。沥则笋之液也，况假火而成者，何寒如此之甚。

合治 竹茹三两，水五升，煮取三升去滓，令冷，内破鸡子三枚搅调，更煮三沸饮之，治饮酒头痛。○苦竹茹四两，合醋渍一宿，含之，治齿龈间津液、血出不止。○青竹茹五两，合酒一升煎取五合顿服，治妊娠八月、九月若堕仆，或牛马惊伤，得心痛。○竹叶浓煮，合盐少许，寒温得所含之，治齿间血出。○苦竹叶烧灰和鸡子黄，傅卒得恶疮不识者。○竹沥半盏合新汲水半盏调服，治时气五六日，心神烦躁不解。○竹沥一升，合茯苓三两，水四升同煎至二升，分三服，治妊娠恒若烦闷，此名子烦。○苦竹沥五合，黄连二分，绵裹入竹沥内浸一宿，点目中数度，令热泪出，治目赤，眦痛如刺不得开，肝经实热致生障翳。○竹叶烧末和猪脂涂上，或鸡子白傅之，治小儿头疮并耳上生疮。○新青竹茹二合，好煮酒一升，煮三五沸，分作三服，治妊娠误有失坠，忽推筑着疼痛。

禁 诸笋发气。○苦竹笋动气，发癥不可多食。

解 淡竹根压丹石发热渴。

# 吴茱萸

有小毒　附根、叶并梂子根[1]　植生

吴茱萸出神农本经。主温中，下气，止痛，咳逆，寒热，除湿，血痹，逐风邪，开腠理。〇根，杀三虫。以上朱字神农本经。去痰冷，腹内绞痛，诸冷食不消，中恶，心腹痛，逆气，利五脏。〇根白皮，杀蛲虫，治喉痹，咳逆，止泄，注食不消，女子经产余血，疗白癣。以上黑字名医所录。

① 根：原脱，据目录补。

**名** 羊柹、鼠查柹。〔根〕藙。

**苗** 〔图经曰〕木高丈余，皮青绿色，叶似椿而阔厚，紫色。三月开花，红紫色。七八月结实似椒子，嫩时微黄，至成熟则深紫。《风土记》曰：俗尚九月九日谓为上九，茱萸到此日熟而色赤，气亦烈，折其房以插头，可辟恶气，御冬。又《续齐谐记》曰：汝南桓景随费长房学，长房谓曰：九月九日，汝家有灾厄，汝宜急去家，各作绛囊盛茱萸以系臂上，登高饮菊花酒，此祸可消。景如言，举家登高山，夕还，见鸡、犬、牛、羊一时暴死。长房闻之曰：此代之矣。故世人每至此日，登高饮酒，戴茱萸囊，由此尔。

**地** 〔图经曰〕生上谷川谷及冤句，江浙、蜀汉尤多。今处处有之。〔道地〕临江军、越州、吴地。

**时** 〔生〕春生叶。〔采〕九月九日取实。

**收** 阴干。

用 子及根。

质 类花椒小而有瓣。

色 紫赤。

味 辛、苦。

性 温、大热，散。〔叶〕热。

气 气味俱厚，阳中之阴。

臭 香。

主 温中下气。

行 足太阴经、少阴经、厥阴经。

助 蓼实为之使。

反 畏紫石英，恶丹参、消石、白垩。

制 〔雷公云〕去叶核，用盐水洗一百转，自然无涎，日干用。

治 〔疗〕〔药性论云〕去心腹积冷，心下结气，疰心痛及霍乱转筋，胃中冷气，吐泻，腹痛不可胜忍者并遍身痒痹，冷食不消，大肠壅气。○皮，能疗漆疮及中恶，腹中刺痛，下痢不禁，治寸白虫。〔日华子云〕健脾，通关节，治霍乱，泻痢，消痰，破癥癖，逐风，止腹痛，肾气，脚气水肿，下产后余血。○叶，主霍乱，下气，心腹痛，冷气。〔孟诜云〕主除呕逆，脏冷，心痛下气。○皮，止齿痛及鱼骨在人腹中，煮汁服愈。骨在肉中不出者，嚼封之，骨当烂出。〔衍义曰〕此物下气最速，肠虚人服之愈甚。〔东垣云〕咽嗌，寒气噎塞而不通，胸中冷气闭塞而不利，脾胃停冷腹痛而不任，心气刺痛成阵而不止。〔汤液本草云〕主温胃及寒邪所膈，气不得上下。此病不已，令人寒中，腹满，膨胀，下痢，寒气，诸药不可代也。及去胸中逆气，温胃。〔别录云〕止泻痢，厚肠胃。○椒子根，浓煮，浸痔疾，烧末服亦良。

合治 茱萸一升，合酒五升，煮取一升半，去滓，以汁暖洗，疗风瘙痒痛。〇合酒各一升煮四五沸，冷，服半升，日三服，治中贼风，口偏不能语者。〇煮汁一盏，和生姜汁饮之，治脚气冲心。〇合盐研罯，治内外肾钓痛，神验。〇合艾以醋汤拌罯，治伏暑，霍乱，脚转筋。〇以一升合大枣二枚，生姜一两，人参一两，水五升煎三升，每服七合，日三，治呕而胸满及干呕吐，涎沫而头痛者。〇东行茱萸[1]根大者一尺，大麻子八升，橘皮二两，共为咀。合酒一斗浸一宿，微火暖之，三下绞去滓，空腹服一升，疗脾劳热，有白虫在脾中令人好呕者，服之取尽，虫便下出，或死或半烂或下黄汁。作药时禁声勿语，取虫便验。

禁 肥健人，不宜多食。

---

① 茱萸：原脱，据《证类本草》补。

# 槟榔

无毒　植生

槟榔主消谷，逐水，除痰癖，杀三虫，伏尸，疗寸白。

名医所录。

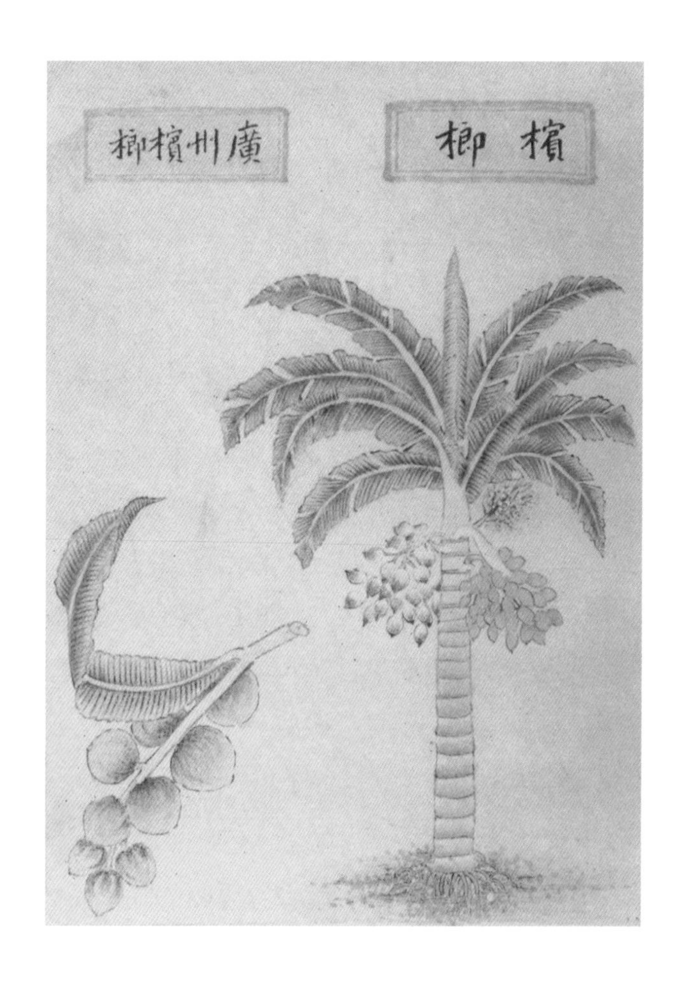

名 山槟榔、猪槟榔、蒳子。

苗 〔图经曰〕木大如桄榔，高五七丈，正直无枝，皮似青铜，节如桂、竹，叶生木巅大如楯头，又似芭蕉叶。其实春生，至夏乃熟作房，从叶中出傍有刺，若棘针重叠。其下一枝数百实，状如鸡子，皆有皮壳，肉满，壳中正白，味苦涩。得扶留藤与瓦屋子灰同咀嚼之，则柔滑而甘美。岭南人当果啖之，由其地温，不食此无以祛瘴疠。然有三四种，有小而味甘者，名山槟榔；有大而味涩，核亦大者，名猪槟榔；最小者名蒳子，其功用不言有别。又云：尖长而有紫纹者名槟，圆而矮者名榔。槟力小，榔力大。其大腹所出与槟榔相似，但茎、叶、根、干小异，连皮收之，谓之大腹槟榔，而功用差别尔。

地 〔图经曰〕生南海，今岭外州郡皆有之。〔唐本注云〕交州、爱州、昆仑。〔海药云〕东海诸国。〔道地〕广州。

时 〔生〕春生叶。〔采〕夏取实。

收 生者易烂，须用灰汁煮熟，仍火焙熏干，始堪停久。

用 实。

质 状如鸡心。

色 土褐。

味 辛、苦。

性 温，泄。

气 气轻味厚，阴中阳也。〔丹溪云〕纯阳。

臭 朽。

主 破气，杀虫。

制 〔雷公云〕凡使，先以刀刮去底，细切，勿经火，恐无力效。若熟使，不如不用。

治〔疗〕〔唐本注云〕消腹胀。捣末服，利水谷道，傅疮，生肌肉，止痛。烧为灰，傅口吻白疮。〔药性论云〕利五脏六腑壅滞，破坚满气，下水肿，治心痛，风血积聚。〔日华子云〕除一切风，下一切气，通关节，利九窍，健脾调中，除烦，破癥结，下五膈气。〔南海药谱云〕杀虫，兼补。〔别录云〕主奔豚诸气，风冷气，五膈气，宿食不消及脚气。〔补〕〔日华子云〕五劳七伤。

合治 合沙牛尿一盏，磨一枚空心暖服，疗脚气，壅毒，水肿，浮气。〇以二枚一生一熟捣末，酒煎服，善治膀胱诸气。〇用一两为末，合水煮葱白浓汁调下一钱匕，疗胎动，腰痛或下血不止。〇以半两炮捣为末，合葱、蜜煎汤，每服二钱，空心调服，治诸虫在脏腑久不瘥者。

○ 木之木

# 栀子

无毒　植生

栀子出神农本经。主五内邪气，胃中热气，面赤，酒疱皻鼻，白癞，赤癞，疮疡。以上朱字神农本经。疗目热赤痛，胸、心、大小肠大热，心中烦闷，胃中热气。以上黑字名医所录。

**名** 木丹、越桃。〔花〕薝葡。

**苗** 〔图经曰〕木高七八尺，叶似李而厚硬，又似樗蒲子。二三月生白花，花皆六出，甚芬香，俗说即西域薝葡也。夏秋结实如诃子状，生青熟黄，中仁深红。皮薄而圆小刻，房七棱至九棱者为山栀子，甚佳。其大而长者但可染色，不堪入药。

**地** 〔图经曰〕南阳川谷，今南方及西蜀州郡皆有之。〔道地〕临江军、江陵府、建州。

**时** 〔生〕春生叶。〔采〕九月取实。

**收** 暴干。

**用** 子。

**质** 如诃子而轻。

**色** 黄赤。

**味** 苦。

**性** 大寒，泄。

**气** 气薄味厚，阴也。

**臭** 香。

**主** 除积热，泻肺火。

**行** 手太阴经。

**制** 〔雷公云〕去皮取仁，以甘草水浸一宿，漉出，焙干用。

**治** 〔疗〕〔图经曰〕烧末服，治霍乱转筋。〔药性论云〕去热毒风，利五淋，中恶，通小便，解五种黄病，明目及目赤肿，时疫，除热，消渴，口干。〔衍义曰〕胃中热气，既亡血，亡津液，脏腑无润养，内生虚热，非此物不可去。〔汤液本草云〕心烦懊侬而不得眠，心神颠倒欲绝，血滞，小便不利，止渴，去烦躁。又云：仲景治烦胸为至高之分也。故易老云：轻浮而象肺也，色赤而象火，故能泻肺中之火。《本草》不言吐，仲景用此为吐药，栀子本非吐，为邪气在上拒而不纳，故令上吐，邪因得以出。《经》曰高者因而越之，此之谓也。或用栀子利小便，实非利小便，清肺也，肺气清而化。膀胱为津液之府，小便得此气化而出也。〔丹溪云〕仁，能屈曲下行，降火从小便泄出，人所不知。又治痞[1]块中之火。〔别录云〕以三十枚水煎一升，疗伤寒瘥后交接，发动欲死，眼不开，不能语者。

合治 仁，合火煨大黄、连翘、炙甘草等分，末之，水煎三钱，疗心经留热，小便赤涩。○合豉，名栀子豉汤，治烦躁。烦者，气也；躁者，血也。气主肺，血主肾。故用栀子以治肺烦，用香豉以治肾躁。躁者，懊侬不得眠也。如少气虚满者，加甘草。若呕哕者，加生姜、橘皮。○合厚朴、枳实，治伤寒下后，腹满虚烦。○合甘草、干姜，治伤寒下后，身热微烦。○合茵陈、香豉、甘草等分作汤饮，治发黄。○合鼠矢等汤，治大病起劳复。○合大黄煮汁，治时行病后劳发食复。

解 羊踯躅毒，杀䗪虫毒。

① 痞：原无，据印本补。

# 紫鉚

有小毒

紫鉚[1]主五脏邪气，带下，止痛，破积血，金疮，生肉。名医所录。

① 鉚：原注“音矿”。此条为《别录》药文，但据《证类本草》系从同卷“麒麟竭”条中首次分立，此未计入新分条药味数中。

名 勒佉。〔树〕渴廪。

苗〔图经曰〕木高丈许，枝干繁郁，叶似橘柚，冬不凋落。三月开花，不结子。每有雾露微雨沾濡其枝条，则为紫铆。而真蜡国使人言：蚁运土上于木端作窠，蚁壤为雾露所沾即化为紫铆。又《交州地志》亦云：本州岁贡紫铆，出于蚁壤，乃知其血竭虽俱出于木而非一物明矣。今医方亦罕用，惟染家所须耳。〔海药云〕其树紫赤色，是木中津液成也。〔衍义曰〕如糖霜结于细枝上，累累然，紫黑色，研破则红。今人造绵胭脂，迩来亦难得也。

地〔图经曰〕出真蜡国、波斯国、交州、南海山谷。〔道地〕昆仑者善。

时〔生〕无时。〔采〕无时。

收 阴干。

质 类糖霜。

色 赤黑。

味 甘。

性 平。

气 气厚于味，阳中之阴。

臭 朽。

主 湿痒，疮疥。

治〔疗〕〔别录云〕消阴滞气。驴马蹄漏，可溶补之。〔补〕〔别录云〕添益阳精。

合治 合猪脂，入牛马漏蹄，烧铁篦烙之即平。

○ 木之木

# 麒麟竭

无毒

麒麟竭主心腹卒痛，止金疮血，生肌肉，除邪气。名医所录。

名 血竭。〔树〕渴留。

苗〔图经曰〕木高数丈，叶似樱桃而有三角，婆娑可爱。其脂液从木中流出，滴下，状如胶饴，久则坚凝而成。赤如血色，故谓之血竭。若味咸而气腥者，是海母血，不可入药。欲验真伪，嚼之不烂如蜡，作栀子气者是也。盖禀荧惑之气，生于汤石之阴，结而成质。旧说紫鉚大都相类而别是一物，况所出不同，功力亦别，故各立其条耳。

地〔图经曰〕出南番诸国及广州、西胡。

时〔生〕无时。〔采〕无时。

收 阴干。

用 坚凝如蜡者佳。

色 黄赤。

味 甘、咸。

性 平。

气 气厚于味，阳中之阴。

臭 朽。

主 破血，生肌。

助 得密陀僧良。

制〔雷公云〕欲使，先研作粉重筛过。临使，入于丸散或膏中，切勿与众药同捣，化作飞尘也。

治〔疗〕〔日华子云〕一切疮、疥、癣不合者，傅之。此药性急，亦不可多使，却，引脓。〔别录云〕金疮，血不止，疼痛，为末傅之，立止。

合治 合酒服，治打伤折损，一切疼痛，补虚及血气搅刺，内伤，血聚。○为末合酒调服二钱匕，治产后血晕，不知人及狂语。

赝 味咸，有腥气者，是海母血，为伪。

○ 木之木

# 食茱萸

无毒　植生

食茱萸主水气。名医所录。

苗〔图经曰〕其木极高大，枝茎青黄，上有小白点。叶正类油麻，花而黄，蜀人呼其子为艾子。《礼记》所谓藙者。藙、艾声讹故也。宜入羹中，能发辛香。然功用与吴茱萸同，但力少劣尔。〔唐本注云〕颗粒大而经久色黄黑者，是食茱萸；颗粒紧小，色青绿者，乃吴茱萸也。其闭目者，名椋子，不堪食。

地〔图经曰〕今南北皆有之。〔道地〕蜀州、吴地者为佳。

时〔生〕春生叶。〔采〕九月取实。

收 暴干。

用 实及皮。

质 类花椒而有五六瓣。

色 黄黑。

味 辛、苦。

性 大热，散。

气 气味俱厚，阳中之阴。

臭 香。

主 心腹冷痛。

反 畏紫石英。

治〔疗〕〔唐本注云〕杀鬼魅及恶虫毒，起阳，杀牙齿虫痛。〔药性论云〕治冷痹，腰脚弱，通身刺痛，肠风，痔疾。杀肠中三虫，去虚冷。〔陈藏器云〕树皮，杀牙齿虫，止痛。〔食疗云〕主心腹气痛，中恶，除咳逆，去脏腑冷，能温中。鱼骨在腹中刺痛，煎汁服之，其骨软出。如鱼骨刺入肉中不出者，碎捣封之，亦自烂出。

合治 合美豉，酒煮服，杀鬼毒，中贼风，口偏不语者，得汗便瘥。〇合酒煎含之，治齿痛。〇合酒水煎，温洗，去皮肉痒痛。

禁 不可多食，多食冲眼兼又脱发。六七月勿食，伤人气，发疮痍。

解 蛇咬毒，冷水调末服，立瘥。

# 芜荑

无毒　植生

芜荑出神农本经。主五内邪气，散皮肤、骨节中淫淫温，行毒，去三虫，化食。以上朱字神农本经。逐寸白，散肠中嗢嗢，喘息。以上黑字名医所录。

名 无姑、蕨[①]蘑[②]。

苗〔图经曰〕大类榆而差小，其实亦早成，比榆乃大。气臭如犼。《尔雅·释木》云：无姑，其实夷。郭璞云：无姑，姑榆也。生山中，叶圆而厚，剥取皮合渍之，其味辛香，久而作臭。此大芜荑也。〔衍义曰〕芜荑有大小两种，小芜荑即榆荚也。揉取仁酝为酱，味尤辛。入药当用大芜荑也。

地〔图经曰〕生晋山川谷。〔唐本注云〕河东、河西、近道处处有之。〔道地〕延州、同州者最佳。

时〔生〕春生叶。〔采〕三月取实。

收 阴干。

用 实，陈久者良。

质 实，类酸枣仁而扁皱。

色 青黑。

味 辛。

性 平，散。

气 气之薄者，阳中之阴。

臭 臭。

主 杀虫，消痞。

助 得诃子、豆蔻良。

制 捣末用。

治〔疗〕〔药性论云〕主积冷气，心腹癥痛，除肌肤、骨节中风，淫淫如虫行。〔日华子云〕治肠风，痔瘘，恶疮，疥癣。

---

① 蕨：原注“音殿”。

② 蘑：原注“音唐”。

〔孟诜云〕除五脏、皮肤、肢节邪气。秋天食之，尤宜人。常食，治五痔，诸病不生。〔衍义曰〕疗大肠寒滑，及多冷气，不可阙也。〔食疗云〕散腹中气痛，中恶，蛊毒。〔海药云〕治冷痢，心气，杀虫，止痛。又妇人子宫风虚，小儿疳泻。〔补〕〔图经曰〕去三尸，益神，驻颜。

合治 合猪脂，涂热疮，瘥。○合白蜜，治湿癣。○合沙牛酪，治一切疮。○合饭丸，治久患脾胃气泄不止。○合食盐等分，治膀胱气急，宜下气。○合白面，炒黄调服，治脾胃有虫，食即痛，面黄无色，疼痛无时。

禁 多食，令人发热，心痛。

解 杀中恶虫毒。

木之木

# 枳壳

无毒　植生

枳壳主风痒麻痹，通利关节，劳气，咳嗽，背膊闷倦，散留结，胸膈痰滞，逐水，消胀满，大肠风，安胃，止风痛。名医所录。

**苗**〔图经曰〕其树如橘而小，高五七尺，叶如橙，多刺。春生白花，至秋成实。旧说七月、八月采者为实，九月、十月采者为壳。今医家多以皮厚而小者为枳实，实完大者为枳壳。皆以翻肚如盆，口唇状，须陈久者为胜。近道所出者，俗呼臭橘，不堪用。

**地**〔图经曰〕京西、江湖州郡皆有之。汝州、商州者为佳。

**时**〔生〕春生新叶。〔采〕九月、十月取实。

**收** 日干。

**用** 实，陈久者佳。

**质** 类香圆而小。

**色** 黄。

**味** 苦、酸。

**性** 微寒，泄。

**气** 味薄气厚，阳也。又云：阴中微阳。

**臭** 香。

**主** 肠风，痔疾，心腹结气。

**制**〔雷公云〕凡使，去瓤，以麸炒过，待麸焦黑遂出，用布拭上焦黑，单捣如粉用。

**治**〔疗〕〔药性论云〕治风热疹，肌中如麻豆，恶痒。两胁虚胀，关膈壅塞。〔日华子云〕健脾开胃，调五脏，下气，止呕逆，消痰，反胃，霍乱，泻痢，消食，破癥结，痃癖，五膈气，除风明目及肺气水肿，利大小肠，皮肤痒，痔肿，可炙熨。〔汤液本草云〕治脾胃痞塞，泄肺气及利胸中滞气，胜湿，化痰涎。

**合治** 合羊胫灰，米饮服，治远年近日肠风下血不止。○以四两合甘草二两为末，空心汤点服二钱，孕妇临月服之，易生。仍无胎中恶病，忌登高厕。

**禁** 多用，损胸中至高之气。

# 枳实

无毒　植生

枳实出神农本经。主大风在皮肤中如麻豆苦痒，除寒热结，止痢，长肌肉，利五脏，益气，轻身。以上朱字神农本经。**除胸胁痰癖，逐停水，破结实，消胀满，心下急痞痛，逆气胁风痛，安胃气，止溏泄，明目。**以上黑字名医所录。

**苗**〔图经曰〕其树如橘而小，高五七尺，叶如橙，多刺。春生白花，至秋成实。七月、八月采皮厚而小者为枳实。九月、十月采皮薄而大者为枳壳。用之，须陈久者为胜。近道所出者，俗呼为臭橘，不堪入药。〔衍义曰〕枳实、枳壳，一物也，小则其性酷而速，大则其性详而缓，故张仲景治伤寒仓卒之病，承气汤中用枳实，此其意也，皆取其疏通决泄，破结实之义。他方但导败风壅之气，故用枳壳，其意如此。

**地**〔图经曰〕生河内川泽，今京西、江湖州郡皆有之。〔道地〕成州、商州川谷。

**时**〔生〕春生新叶。〔采〕七月、八月取实。

**收** 日干。

**用** 实、茎皮、根皮。

**质** 类青皮而坚厚。

**色** 青黑。

**味** 苦、酸。

**性** 寒，泄。

**气** 气薄味厚，阴也。

**臭** 香。

**主** 消痰饮，除坚积。

**制** 剉碎，麸炒用。

**治**〔疗〕〔药性论云〕治伤寒结胸，上气，喘咳，肾伤冷，阴痿。〔陶隐居云〕茎皮，消水胀并暴风，骨节疼急。〔陈藏器云〕根皮，主痔及大便下血。〔汤液本草云〕除寒热，破结实，消痰癖并心下痞，逆气胁痛，去脾经积血，消宿食，破水积以泄里，除气。

**合治** 合白术水煎，疗水饮所作心下坚大如盘。○合酒渍木皮，治卒中风，身直不得屈伸。○合米饮调末，治胸痹气壅满，心膈不利。

○ 木之木

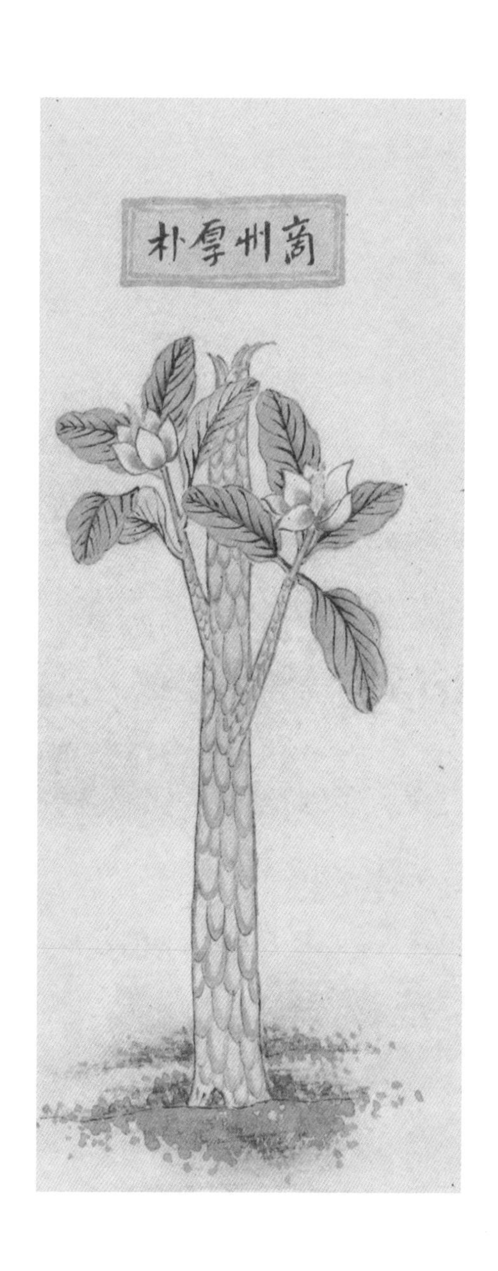


# 厚朴

无毒　植生

厚朴出神农本经。主中风，伤寒，头痛，寒热，惊悸，气血痹，死肌，去三虫。以上朱字神农本经。温中益气，消痰下气，疗霍乱及腹痛胀满，胃中冷逆，胸中呕不止，泄痢，淋露，除惊，去留热，心烦满，厚肠胃。○子，疗鼠瘘，明目益气。以上黑字名医所录。

名 厚皮、赤朴、榛、逐折。

苗〔图经曰〕木高三四丈，径一二尺，春生叶如槲叶，四季不凋，红花而青实，皮极鳞皱而厚。紫色多润者佳，薄而白者不堪入药。

地〔图经曰〕出交趾、冤句，今京西、陕西、江淮、湖南山谷中皆有之。〔道地〕蜀川、商州、归州、梓州、龙州最佳。

时〔生〕春生叶。〔采〕二月、九月、十月取皮。

收 阴干。

用 皮紫厚者佳。

质 类桂皮而粗厚。

色 紫。

味 苦、辛。

性 大温，散。

气 气厚味薄，阳中之阴。

臭 香。

主 温胃气，除腹胀。

助 干姜为之使。

反 恶泽泻、寒水石、消石。

制〔雷公云〕去粗皮，姜

汁炙或姜汁炒用，一[1]用酥炙。

治〔疗〕〔药性论云〕治积冷气，腹内雷鸣虚吼，宿食不消，除痰饮，去结水，破宿血，消化水谷，止痛，大温胃气，呕吐酸水及心腹满，病人虚而尿白。〔日华子云〕健脾，主反胃，霍乱转筋，冷热气，泻膀胱，泄五脏一切气，妇人产前、产后腹脏不安，调关节，杀腹脏虫，除惊，去烦闷，明耳目。

合治 合枳实、大黄，治腹胀。○合桂心、枳实、生姜，治霍乱。

禁 妊娠不可服。

忌 与豆同食，动气。

① 一：原无，据罗马本补。

○ 木之木

# 茗苦搽

无毒　植生

茗苦搽主瘘疮，利小便，去痰，热渴，令人少睡。○苦搽，主下气，消宿食，作饮加茱萸、葱、姜等良。

名医所录。

**名** 茶、槚、蔎、茗、荈。

**苗**〔图经曰〕茶乃南方佳木，高二三尺，经冬不凋。腊月已结蓓蕾，春中抽芽。《尔雅》所谓槚，苦荼。释云：早采者为荼，晚采者为茗，蜀人谓之苦荼，今通谓之茶，盖荼、茶字相似而误也。一种自一尺以至于数十尺，巴峡亦有两人合抱者，伐而掇之，其木如瓜芦，叶如栀子，花如白蔷薇，实如栟榈，蒂若丁香，根似胡桃，其名有五。今人或以枸杞、槐、柳等嫩芽杂和作茶，实能乱真，以此治病，功用大不相侔。建州等处所产，性味与别品尤胜，独名腊茶，唯鼎州性味略类建州者。今河北等处磨末，亦冒腊茶入药，唯以建州为胜。又有蒙山五顶，其中顶曰[①]上清峰，峻险，人迹少到，云雾蔽亏，鸷兽时出，草木繁密，所产与他顶不同，春分先后俟雷发声采者为佳。此品制作精于他处，人所贵重，为其性不甚冷，而却病延年尔。〔谨按〕古无茶茗之文，在禹则无贡，《周礼》亦不载，《尔雅》虽有槚、苦荼之名，而秦汉史传亦无所稽。至唐陆羽辈著《茶经》等说而茶品始备，故贵于唐而与盐并榷于宋也。世之婚礼纳采，非茶不行。盖取其种莳不可移植，以喻无再盟之义。然饮少则醒神思，过多则能致疾，故《茶饮序》云：释滞消壅，一日之利暂佳；瘠气侵精，终身之累斯大是也。

**地**〔图经曰〕出闽浙、蜀荆、江湖、淮南、鼎州山中皆有之。〔道地〕雅州、蒙山、建州。

**时**〔生〕春初发萌。〔采〕春分先后取芽。

**收** 晒干。

**用** 叶。

---

① 曰：原作“日”，据印本改。

色 青褐。

味 甘、苦。

性 微寒。

气 气味俱轻，阴中之阳。

臭 香。

主 清头目，消热渴。

行 手、足厥阴经。

治〔疗〕〔图经曰〕祛宿疾，释滞消壅。〔陈藏器云〕破热气，除瘴气，利大小肠。〔汤液本草云〕清头目，消热渴，中风昏愦，多睡不醒及瘘疮。〔别录云〕除痰，下气，消宿食，痰厥头痛如破，赤白痢，热毒痢。

合治 合生油，傅蠼螋尿著人成疮疼痛。〇水煎合醋，疗气壅暨腰痛转动不得。〇煎合醋服，治伤暑泄泻及心痛不可忍者。

禁 宜热饮，若冷啜则聚痰。久食令人瘦，去人脂，使不睡。

赝 枸杞、槐、柳等芽为伪。

○ 木之木

# 秦皮

无毒　特生

秦皮出神农本经。主风寒湿痹，洗洗寒气，除热，目中青翳白膜。久服头不白，轻身。以上朱字神农本经。疗男子少精，妇人带下，小儿痫，身热，可作洗目汤，皮肤光泽，肥大，有子。以上黑字名医所录。

名 岑皮、石檀、盆桂、苦树。

苗 〔图经曰〕其木大都似檀，枝干皆有青绿色，叶如匙头许大而不光，并无花实。根似槐根，其皮有白点而不粗错，俗呼为白桪木。取皮渍之水则碧色，和墨书之于纸，青莹而不脱也。

地 〔图经曰〕生庐江川谷及冤句，今陕西州郡、河阳亦有之。〔道地〕河中府、成州。

时 〔生〕春生叶。〔采〕二月、八月取皮。

收 阴干。

用 皮。

质 类槐皮而碧薄。

色 碧。

味 苦。

性 大寒，泄。

气 气薄味厚，阴也。

臭 腥。

主 明目，去肝经热。

助 大戟为之使。

反 恶吴茱萸、苦瓠、防葵。

**制** 细剉用。

**治**〔疗〕〔药性论云〕去肝中久热，两目赤肿疼痛，风泪不止及洗赤目，小儿身热，作汤浴。〔日华子云〕洗肝，明目，小儿热惊，皮肤风痹，退热。〔别录云〕治赤眼及睛上疮，眼中翳晕。

**解** 煮汁饮之，解天蛇螫毒[①]。

① 天蛇螫毒：原注“天蛇，即草间黄花蜘蛛”。

# 秦椒

有毒　植生

秦椒出神农本经。主风邪气，温中，除寒痹，坚齿发，明目。久服轻身，好颜色，耐老增年，通神。以上朱字神农本经。疗喉痹，吐逆，疝瘕，去老血，产后余疾，腹痛，出汗，利五脏。以上黑字名医所录。

名 大椒、檓[①]。

苗〔图经曰〕初秋生花，秋末结实。叶及茎、子都似蜀椒，但实细味短，形似茱萸，有针刺，茎、叶坚而滑。又云：南北所生一种，其实大于蜀椒，当以实大者为秦椒。观此二说不同，恐用者狐疑不决，不可不辨考之。〔衍义曰〕秦椒，此秦地所产者，故言秦椒。大率椒株皆相似，秦椒但叶差大，椒粒亦大而纹低，不若蜀椒皱纹高为异也。

地〔图经曰〕生泰山川谷及琅琊、秦、凤、明、越、金、商州皆有之。〔别录云〕天水、陇西、蓝田。〔道地〕秦岭、归州。

时〔生〕春生叶。〔采〕九月、十月取实。

收 阴干。

用 实。

质 类茱萸而赤。

---

① 檓：原注“欣诡切”。

**色** 红。

**味** 辛。

**性** 生温，熟寒。

**气** 气之厚者，阳也。

**臭** 香。

**主** 温中，坚齿。

**反** 畏雌黄，恶栝楼、防葵。

**制** 去茎目及闭口者，焙出汗用。

**治** 〔疗〕〔药性论云〕祛恶风，遍身四肢瘰痹，口齿浮肿摇动，女人月闭不通，产后恶血痢，多年痢，能生发及腹中冷痛。〔孟诜云〕灭瘢，长毛，去血。

**合治** 合醋煎含，疗齿痛。○合面作馄饨，灰中烧令开口，治损疮中风者，封疮口上。○合盐醋和，傅手足心风肿。○合瓜蒂，水调寸匕，治膏瘅，其病饮少，小便多者。

木之木

# 山茱萸

无毒　附胡蘈子　植生

山茱萸出神农本经。主心下邪气，寒热，温中，逐寒湿痹，去三虫。久服轻身。以上朱字神农本经。肠胃风邪，寒热疝瘕，头风，风气去来，鼻塞，目黄，耳聋，面疱，温中下气，出汗，强阴益精，安五脏，通九窍，止小便利，明目强力，长年。以上黑字名医所录。

**名** 蜀枣、鸡足、魃[①]实、鼠矢。

**苗** 〔图经曰〕木高丈余，叶似榆，花白。子初熟未干红色，大如枸杞，亦似胡颓子，有核，九月后采实，亦可啖。既干，皮甚薄。一种名鼠矢，叶如梅，有刺毛，二月花如杏，四月实如酸枣而赤。五月采实，与此小异也。〔陈藏器云〕胡颓子生平林间，树高丈余，叶背白，冬不凋。冬花春熟，最早诸果，其实酢涩，小儿当果食之。

**地** 〔图经曰〕生汉中山谷及琅琊、冤句、东海承县，今海州亦有之。〔陶隐居云〕出近道诸山中。〔道地〕兖州、海州。

**时** 〔生〕春初生叶。〔采〕九月、十月取实。

**收** 阴干。

**用** 实。

**质** 类酸枣，赤而尖小。

① 魃：原注“音妓”。

色 赤。

味 酸。

性 平、微温，收。

气 气厚于味，阳中之阴。

臭 朽。

主 添精髓，悦颜色。

行 足厥阴经、少阴经。

助 蓼实为之使。

反 恶桔梗、防风、防己。

制〔雷公云〕汤润，去核用。

治〔疗〕〔药性论云〕去脑骨疼痛，止月水，疗耳鸣，除面上疮，能发汗，止老人尿不节。〔日华子云〕除一切风，逐一切气，破癥结及酒皻。〔陈藏器云〕胡蘈子，止水痢。〔补〕〔药性论云〕兴阳道，添精髓。〔日华子云〕暖腰膝，助水脏。〔雷公云〕壮元气，秘精。

禁 核不宜食，食之滑精。

赝 其核八棱者名雀儿苏，别是一物，为伪。

## 木之走

# 紫葳

无毒　蔓生

紫葳[1]出神农本经。主妇人产乳余疾，崩中，癥瘕，血闭，寒热，羸瘦，养胎。以上朱字神农本经。茎、叶味苦，主痿蹶，益气。以上黑字名医所录。

---

① 葳：原注“音威”。

**名** 陵苕、茇华、凌霄花、女葳。

**苗** 〔图经曰〕此即凌霄花也。种莳初作藤蔓，生依大木，岁久延引至巅而有花，紫黄色，夏中乃盛。〔衍义曰〕紫葳，今蔓延而生，谓之为草，又有木身，谓之为木。又须物而上，然干不逐冬毙，亦得木之多也，故居木部为至当。唐白乐天诗：有木名凌霄，擢秀非孤标，由是益知非草矣。《本经》又云：茎、叶味苦，是与瞿麦别一种，甚明。唐本注云：且紫葳、瞿麦皆《本经》所载，若用瞿麦根为紫葳，何得复用茎、叶？此说尽矣，然其花赭黄色，本条虽不言其花，又却言茎、叶味苦，则紫葳为花，故可知矣。〔谨按〕紫葳，人家植之，嗅其花气致不能孕，由其性味能行经、堕胎故也。今诸方破血下胎用为要药，而《本经》有养胎之说，恐传写之误耳。

**地** 〔图经曰〕生西海川谷及山阳，今处处人家园圃亦有之。

**时** 〔生〕春生叶。〔采〕夏取花。

**收** 晒干。

**用** 花、叶、茎、根。

**色** 紫黄。

**味** 酸。

**性** 微寒，收。

**气** 气薄味厚，阴也。

**臭** 香。

**主** 崩中带下，血闭寒热。

**反** 畏卤咸。

**制** 剉碎用。

治〔疗〕〔图经曰〕花，主妇女血崩，血热，风毒，四肢、皮肤瘾疹。〔药性论云〕去热风，风痫，大小便不利，肠中结实，止产后奔血不定，淋沥。〔日华子云〕疗酒皻刺风，妇人血膈。○根，疗热风身痒，游风，风疹及瘀血，带下。花，叶同功。〔别录云〕叶，治暴耳聋，取汁灌耳中，效。

合治 合酒调服二钱，能行经脉。

禁 妊娠不可服。

# 胡桐泪

无毒

胡桐泪主大毒热，心腹烦满，水和服之，取吐。又主牛马急黄，黑汗，水研三二两灌之，立瘥。又为金银焊药。名医所录。

**名** 胡桐律。

**苗**〔图经曰〕其木甚高大，皮似白杨、青桐辈。其叶初生似柳，渐大则似桑、桐辈。其津液沦入地中与大石相著，状如黄矾、姜石而坚实。得水便消，如消石也。今口齿家为最要之药。又名胡桐律，律、泪声讹也。有夹烂木者，云是胡桐树滋沦入土石碱[1]卤地作之。又有一种木律，极相类，不堪入药。

**地**〔图经曰〕出肃州以西平泽及山谷中。今西番亦有。〔蜀本图经曰〕凉州以西有之。〔海药云〕出波斯国。

**时**〔生〕无时。〔采〕冬月取。

**收** 瓷器收贮。

**用** 石泪。

**质** 类黄矾而坚实。

**色** 土黄。

**味** 咸、苦。

**性** 大寒，软。

**气** 气薄味厚，阴也。

**臭** 腥。

**主** 疳蚀，齿痛。

**制** 碾末用。

**治**〔疗〕〔日华子云〕止风蚛，牙齿痛。〔海药云〕除风疳，䘌齿，牙疼痛，骨槽风劳。

**禁** 多服令人吐。

**解** 杀火毒并面毒。能软一切物。

---

① 碱：原注“音减”。

木之木

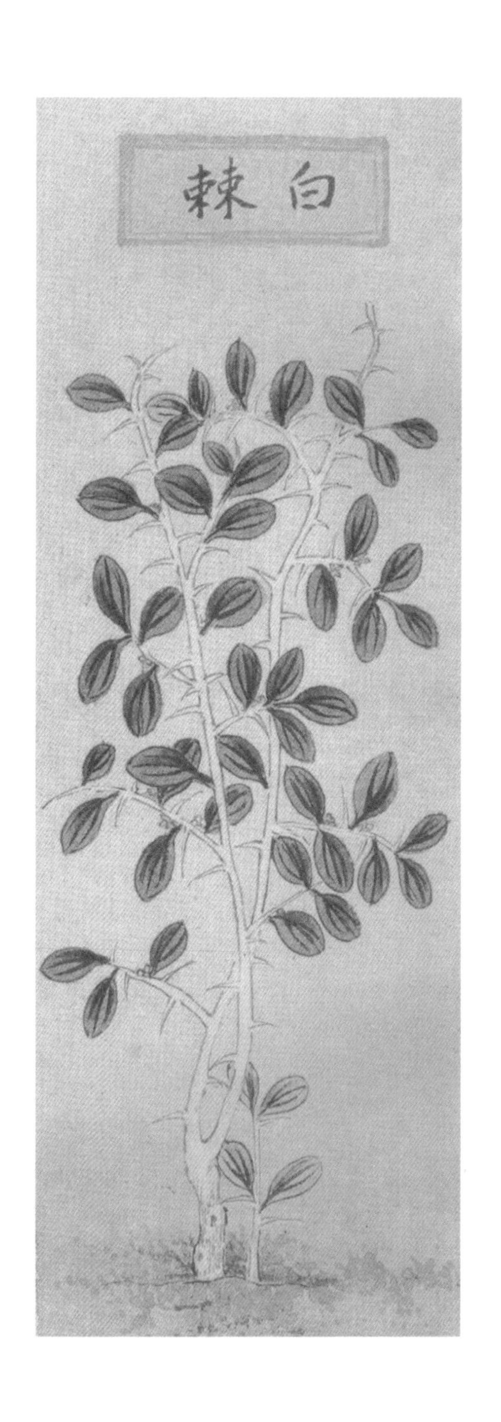


# 白棘

无毒　丛生

白棘出神农本经。主心腹痛，痈肿，溃脓，止痛。以上朱字神农本经。**决棘结，疗丈夫虚损，阴痿，精自出，补肾气，益精髓。**以上黑字名医所录。

名 棘针、棘刺。

苗〔图经曰〕丛高三四尺，花、叶、茎、实都似枣，而有赤、白二种。苏恭云：白棘，茎白如粉，子、叶与赤棘同。赤棘中时复有之，亦为难得。然有钩、直二种，直者宜入补药，钩者入痈肿药。而后条用花即白棘花也。盖花、棘功用不同，故别立其条。〔衍义曰〕白棘，乃是取其肥盛，紫色，枝上有皱薄白膜先剥起者，故曰白棘。取白之意，不过如此。其棘刺花，乃棘上所开花是也。

地〔图经曰〕生雍州川谷，今近京道傍皆有之。

时〔生〕春生叶。〔采〕无时。

收 晒干。

用 针、根。

色 白。

味 辛。

性 寒，散。

气 气之薄者，阳中之阴。

臭 朽。

制 剉碎或烧末用。

治〔疗〕〔别录云〕棘烧末，水服一钱匕，治小儿惊风口噤，乳不下，及诸恶肿失治有脓，服之，经宿头出。○棘三升，以水五升煮取二升，分三服，治尿血。含之，治齿虫。○根煮汁洗之，治痈疽，痔漏疮并小儿丹。

# 棘刺花

无毒　附实、枣针　丛生

棘刺花主金疮内漏。〇实，主明目，心腹痿痹，除热，利小便。〇又有枣针，疗腰痛，喉痹不通。名医所录。

名 菥蓂、马朐、刺原。

苗 棘刺花即白棘花也，苗、叶、花、实详见前条，故不重载。

地〔图经曰〕生道傍，田野间皆有之。

时〔生〕春生叶。〔采〕冬至后百二十日取花，四月取实。

收 暴干。

用 花、实、针。

色 黄白。

味 苦。

性 平，泄。

气 味厚于气，阴中之阳。

臭 香。

主 金疮。

治〔疗〕〔唐本注云〕刺有钩者消肿，直者益人。

合治 刺针合瓜蒂末吹鼻中，治小儿一切疳。

○ 木之木

# 猪苓

无毒　附刺猪苓　植生

猪苓主痎[1]疟，解毒，蛊疰，不祥，利水道。久服轻身，耐老。神农本经。

---

① 痎：原注“音皆”。

名 地乌桃、苓根、豕橐、猳猪屎。

苗〔图经曰〕旧说是枫木苓，今则不必枫根下乃有，生土底。皮黑作块，似猪粪，故以名之。以肉白而实者佳。今施州有一种刺猪苓，味甘，性凉，无毒，蔓生，春夏采根。彼土人削皮焙干用傅疮毒，殊效。

地〔图经曰〕生衡山山谷及济阴、冤句，今蜀州、眉州亦有之。〔道地〕龙州者良。

时〔生〕春。〔采〕二月、八月取根。

收 阴干。

用 根，坚实者为佳。

质 类茯神，小而皮黑。

色 外黑，内白。

味 甘、苦。

性 平，缓。

气 气之薄者，阳中之阴。

臭 朽。

主 除湿，利小便。

行 足太阳经、少阴经。

制〔雷公云〕凡采得，用铜刀削上粗皮一重，薄切，下东流水浸一夜至明，漉出细切，以升麻叶对蒸一日，出，去升麻叶令净，晒干用。

治〔疗〕〔图经曰〕治渴。〔药性论云〕解伤寒，温疫，大热，发汗，肿胀满，腹急痛。〔别录云〕去邪气，妊娠患子淋及妊娠从脚上至腹肿，小便不利，微渴引饮，又消遍身肿。

合治 合茯苓、泽泻、滑石、阿胶，疗伤寒诸病在脏而渴，或呕而思水者。○以一两水煮，合鸡屎白一钱调服，治小儿大便不通。

禁 久服损肾气，昏人目。

# 墨

无毒

墨止血，生肌肤，合金疮，主产后血晕，崩中，卒下血，醋磨服之。亦主眯目，物芒入目，磨点瞳子上。又止血痢及小儿客忤，捣筛和水温服之。名医所录。

**地**〔衍义曰〕墨，松之烟也。世有粟草灰伪为者，不可用。须松烟墨方可入药。然惟远烟为佳。今高丽贡者，不知用何物合和，不宜入药。此盖未达不敢尝之义。又鄜、延界内有石[①]油，燃之烟甚浓，其煤可为墨，黑光如漆，松烟为不及也。《识文》曰：延川石液者是，不可入药。〔谨按〕烧松油之法：先以砂埚窍其底，取松之老节者斫碎，填于其中，盎器覆之。藉于瓷石盘上，

① 石：原作“若”，据《证类本草》改。

其盘亦窍其底二寸许，下以瓷器承之。泥固其缝处，勿令气泄。外用文武火煨，逼油自沥，贮于所承之器。取油于瓷盏，以布作捻燃于灶，其灶以铜铁锅腔为之，上覆锅釜之类，湿纸固封其缝，或以砖坩砌之。其内务令泥镘光净，使烟不耗而易扫，上覆瓷缶之器亦得。一法：用明净松香贮铁器上就，以木片点入前灶，候至烟尽，发覆器扫出制墨。其松香取烟与松油同理，但为简易耳。每烟一斤，以秦皮、诃梨勒、酸石榴皮、黄檗各一两，苏木四两，汲新水浸一宿，煎耗十去其三，入锡罐内投洗净。广胶七两，阿胶三两二钱，候熔化已尽，研入血竭一两，龙脑减半，竹匙搅匀，滤滴烟内和之，更以杏仁去皮取油润剂及擦模内成笏。置炭灰上渗干，取出入药用。尝目经试，故详载之。

味 辛。

性 温，散。

气 气厚于味，阳中之阴。

臭 香。

主 止血，傅肿毒。

治〔疗〕〔别录云〕治物落眼中不出，以好墨清水研，铜箸[1]点之即出。○治客忤，病于道间门外得之，令人心腹绞痛，胀满，气冲心胸，不即治亦杀人。捣墨水和服一钱匕。○疗崩中漏下，青黄赤白，服好墨末一钱匕。○治难产，以墨一寸为末，水服之，立产。○治鼻衄，出血太多，眩冒欲死者，浓香墨点入鼻孔中。

合治 以好墨为末，合鸡子白，丸如桐子大，用生地黄汁下一二十丸，如人行五里再服之，治天行毒病，鼻衄数升者。○好

① 箸：原作“筋”，据印本改。

墨合干姜各五两为末。以醋浆和丸如桐子大，每服三十丸，加至四五十丸，米饮下，日夜六七服，治赤白痢及诸痢，垂死者服之，愈。○以好墨细研，不拘时合温酒调下二钱匕，治坠胎，胞衣不出，腹中疼痛，牵引腰脊痛[①]。○以好墨二寸为末，合酒服，治妊娠胎死腹中及胞衣不下，上迫心者，服之立效。○以好墨为细末二钱，用白汤化阿胶清调稀稠，得所顿服之，治大吐血。若热多者，尤相宜。

---

① 治坠胎……腰脊痛：此十六字原脱，据《证类本草》补。

## 二十三种陈藏器余

**必栗香**味辛，温，无毒。主鬼气，煮服之。并烧为香，杀虫鱼。叶捣碎置上流，鱼悉暴鳃。一名化木香，詹香也。叶如椿，生高山，堪为书轴白鱼，不损书也。《海药》云主鬼疰心气，断一切恶气。叶落水中，鱼当暴死。

**榈木**味辛，温，无毒。主破血，血块，冷嗽，并煮汁及热服。出安南及南海，人作床几，似紫檀而色赤。为枕令人头痛，为热故也。《海药》云谨按《广志》云：生安南及南海山谷，胡人用为床坐，性坚好。主产后恶露冲心，癥瘕结气，赤白漏下，并剉煎服之。

**研药**味苦，温，无毒。主霍乱，下痢，中恶，腹内不调者，服之。出南海诸州，根如乌药，圆小，树生也。《海药》云叶如椒，主赤白痢，蛊毒，中恶，并剉煎服之。

**黄龙眼**味苦，温，无毒。主解金药、银药毒，以水研取半合，空心少少服，经二十许日，瘥。出岭南，状如龙眼，黄色也。《海药》云功力胜解毒子也。

**箭笴及镞**主妇人产后腹中痒，安所卧席下，勿令妇人知。

**元慈勒**味甘，无毒。主心病，流血，合金疮，去腹内恶血，血痢，下血，妇人带下，明目，去障翳，风泪，胬肉。生波斯国，似龙脑香。《海药》云慈勒，树中脂也。味甘，平，消翳，破血，止痢，腹中恶血，今少有。

**都咸子及皮叶**味甘，平，无毒。主渴，润肺，去烦，除痰，火干作饮服之。生南方，树如李。徐表《南州记》云：都咸树子大如指，取子及皮作饮，极香美。《海药》云谨按徐表《南州记》云：生广南山谷，味甘，平，无毒，主烦躁，心闷，痰膈，伤寒清涕，咳逆上气，宜煎服。子食之香，大小如半夏。

**凿孔中木**主难产。取入铁裹者，烧末酒服下，产也。

**栎木皮**味苦，平，无毒。根皮主恶疮，中风，犯毒露者，取煎汁洗疮，当令脓血尽止。亦治痢，南北总有作柴。亦云枥，音同也。别录云[①]治诸疮，因风致肿。以根皮三十斤，剉，以水三斛浓煮，内盐一把，渍疮当出脓血，日日为之，瘥止。

**省藤**味苦，平，无毒。主蛔虫，煮汁服之。又主齿痛，打碎，口中含之。又取和米煮粥饲狗，去瘑。生南地深山，皮赤如脂，堪缚物，片片自解也。

**松杨木皮**味苦，平，无毒。主水痢，不问冷热。取皮浓煎令黑，服一升。生江南林落间，大树叶如梨，江西人呼为凉木。松杨县以此树为名也。

**杨庐耳**平，无毒。主老血结块，破血止血，煮服之。杨庐木上耳也。出南山。

**故甑蔽**无毒。主石淋。烧灰末，服三指撮，用水下之。又主盗汗。《书》云：止咸味。别录云[②]治膀胱虚热，下沙石，

① 别录云：《证类本草》作“千金方”。

② 别录云：《证类本草》作“圣惠方”。

涩痛，利水道。烧灰研，食前温酒调下一钱匕，效。

**梫木**味苦，平，无毒。破产后血，煮服之。叶捣碎封蛇咬，亦洗疮癣。树如石榴，叶细，高丈余，四月开花，白如雪。生江东林筤间。

**象豆**味甘，平，无毒。主五野鸡病，蛊毒，飞尸，喉痹。取子中仁碎为粉，微熬，水服一二匕。亦和大豆澡面，去皯。生岭南山林，作藤著树，如通草藤，三年一熟，角如弓袋，子若鸡卵，皮紫色。剖中仁用之。一名榼子，一名合子，主野鸡病为上。

**地主**平，无毒。主鬼气，心痛，酒煮服一合。此土中古木腐烂者也。

**腐木**主蜈蚣咬，末和醋傅之，亦渍取汁傅咬处，良。

**石刺木根皮**味苦，平，无毒。主破血，因产血不尽结瘕者，煮汁服。此木上寄生，破血神验，不可得。生南方林筤间[1]。江西人呼为靳刺，亦种为篱院，树似棘而大，枝上有逆钩也。

**楠木枝叶**味苦，温，无毒。主霍乱，煎汁服之。木高大，叶如桑，出南方山中。郭注《尔雅》云：楠[2]，大木，叶如桑也。

**息王藤**味苦，温，无毒。主产后腹痛，血露不尽，

① 林筤间：原作“林间巳”，据同卷“梫木”条文改。

② 楠：原注“汝占切”。

浓煮汁服之。生岭南山谷，冬月不凋。

**角落木皮**味苦，温，无毒。主赤白痢，皮煮汁服之。生江西山谷，似茱萸，独茎也。

**鸩鸟浆**味甘，温，无毒。主风血，羸老。山人浸酒用解诸毒，故曰鸩鸟浆。生江南林木下，高一二尺，叶阴紫色，冬不凋，有赤子如珠。

**紫珠**味苦，寒，无毒。解诸毒物，痈疽，喉痹，飞尸，蛊毒，毒肿，下瘘，蛇虺，虫螫，狂犬毒，并煮汁服。亦煮汁洗疮肿，除血，长肤。一名紫荆，树似黄荆，叶小无桠，非田氏之荆也。至秋子熟，正紫，圆如小珠，生江东林泽间。

本草品汇精要卷之十八

# 本草品汇精要

·卷之十九·

# 木　部
## 中品之下

四种　**神农本经** 朱字

二种　**名医别录** 黑字

六种　**唐本先附** 注云唐附

一十三种　**宋本先附** 注云宋附

一种　**今补**

二十二种　**陈藏器余**

**已上总四十八[1]种，内一十二种今增图**

① 四十八：原作“四十七”，据实际药味数目改。

乌药宋附
没药宋附
仙人杖宋附，草仙人杖附，今增图
松萝今增图
毗梨勒唐附，今增图
菴摩勒唐附
卫矛鬼箭也
海桐皮宋附
大腹宋附，今增图
紫藤宋附，今增图
合欢
虎杖根[1]
五倍子宋附
伏牛花宋附
天竺黄宋附，今增图
蜜蒙花宋附
天竺桂宋附，今增图
折伤木唐附，今增图
桑花宋附，今增图
椋子木唐附，今增图
每始王木唐附，今增图
阿魏唐附，自草部今移
牡丹自草部今移
卢会宋附，自草部今移
败天公自草部今移并增图
猪腰子今补

二十二种陈藏器余

牛领藤
枕材
鬼膊藤
木戟
奴柘
温藤
鬼齿
铁槌柄
古衬板
慈母
饭箩烧作灰[2]
白马骨
紫衣
梳篦
倒挂藤
故木砧
古厕木
桃橛
梭头
救月杖
地龙藤
火槽头

① 根：原无，据正文药名补。
② 烧作灰：原无，据正文药名补。

# 本草品汇精要卷之十九

## 木部中品之下

○ 木之木

### 乌药

无毒　植生

乌药主中恶，心腹痛，蛊毒，疰忤，鬼气，宿食不消，天行疫瘴，膀胱、肾间冷气攻冲背膂，妇人血气，小儿腹中诸虫。○叶及根，嫩时采作茶片，炙碾煎服，能补中益气，偏止小便滑数。

名医所录。

名 旁其。

苗〔图经曰〕其木似茶槚，高丈余，叶微圆而尖，一叶作三椏，面青背白，五月开细花，黄白色，六月结实。根色黑褐，状如山芍药根。而有极粗大者，断之作车毂纹。又似乌樟根，其本根直者不堪用。然有二种，岭南者，黑褐色而坚硬；天台者，白而虚软。形似连珠者佳。或云：天台者香白可爱，而不及海南者力大也。

地〔图经曰〕生岭南邕容州及江南雷州、衡州、信州、潮州、洪州。〔道地〕天台者胜。

时〔生〕春生叶。〔采〕八月取。

收 暴干。

用 根。

质 类山芍药而轻虚。

色 黄黑。

味 辛。

性 温，散。

气 气之厚者，阳也。

臭 香。

主 调一切气。

行 足阳明经、少阴经。

制 去木，剉碎用。

治〔疗〕〔日华子云〕治一切气，除一切冷，霍乱及反胃，吐食，泻痢，痈疖疥癞，并解冷热及疗猫、犬百病，并可磨服。

合治 合沉香同磨，作汤点，疗胸腹冷气，甚稳当。

木之木

# 没药

无毒 植生

没药主破血，止痛，疗金疮、杖疮、诸恶疮，痔漏，卒下血，目中翳，晕痛，肤赤。

名医所录。

苗〔图经曰〕木之根株皆如橄榄，叶青而密。岁久者则有膏液流滴在地，凝结成块，或大或小，亦类安息香。〔海药云〕按徐表《南州记》云：状如神香，赤黑色，是彼处松脂也。

地〔图经曰〕生波斯国，今海南诸国及广州或有之。

时〔生〕无时。〔采〕无时。

收 阴干。

用 脂。

质 类安息香。

色 紫黑。

味 苦。

性 平，泄。

气 气薄味厚，阴中之阳。

臭 香。

主 通滞血，定诸痛。

治〔疗〕〔日华子云〕破癥结，宿血，消肿毒。〔别录云〕主堕胎，心腹俱痛，及野鸡漏痔，产后血气痛。

合治 合酒饮之，疗打搕损，心腹血瘀，伤折踒跌，筋骨瘀痛，金刃所伤，痛不可忍者，亦治妇人内伤痛楚并血晕，及脐腹㽲刺者。○以半两合酥涂炙黄虎骨二两，为末匀和，温酒调二钱，疗历风骨节，疼痛昼夜不可忍者。○合热酒调服，疗折伤马坠，推陈致新，能生好血。

禁 妊娠不可服。

○ 木之木

# 仙人杖

无毒　丛生

仙人杖主哕气呕逆，辟疟，小儿吐乳，大人吐食，并水煮服，小儿惊痫及夜啼，安身伴睡良。又主痔病，烧为末，服方寸匕。

名医所录。

**苗**〔图经曰〕此是笋将成竹时立死者，色黑如漆，惟苦筀竹多生此也。又别一种仙人杖，生剑南平泽，叶似苦苣，丛生，味甘，小温，无毒。食之能坚筋骨，令人不老。及作茹食之，去痰癖，除风冷。陈子昂《观玉篇·序》云：夏四月，次于张掖、河州[1]，草木无他异者，皆仙人杖，往往丛生。予家世代服食者，昔尝饵之。及此行也，息意兹味。戍人有荐嘉蔬者，此物存焉，岂非将欲扶吾寿也。

**地**〔图经曰〕处处有之。

**时**〔生〕春生苗。〔采〕五月、六月取。

**用** 笋自立死者佳。

**色** 黑。

**味** 咸。

**性** 平，冷。

**气** 味厚于气，阴中之阳。

**臭** 朽。

**主** 呕吐，惊痫。

**制** 剉碎用。

① 州：原作“洲”，据罗马本改。

○ 木之走

## 松萝

无毒　寄生

松萝出神农本经。主瞋[1]怒，邪气，止虚汗，头风，女子阴寒肿痛。以上朱字神农本经。疗痰热，温疟，可为吐汤。利水道。以上黑字名医所录。

① 瞋：原注“昌真切”。

名 女萝。

苗 〔图经曰〕松萝即女萝也，《诗》所谓茑与女萝，施于松上是也。《经》云：松萝当用松上者，谓之松萝。生杂树上者，非真也。《诗》云：蔓连草上，黄赤如金。《释文》曰：在草曰兔丝，在木曰松萝。

地 〔图经曰〕生熊耳山川谷。〔陶隐居云〕东山甚多。

时 〔生〕春生。〔采〕五月取。

收 阴干。

用 茎、叶。

质 类藤而细。

色 青。

味 苦、甘。

性 平，缓。

气 味厚于气，阴中之阳。

臭 朽。

主 项上瘤瘿。

制 剉碎用。

治 〔疗〕〔药性论云〕祛寒热，能吐胸中客痰涎，去头疮。〔日华子云〕令人得眠。

# 毗梨勒

无毒　植生

毗梨勒主温暖肠腹，去一切冷气。名医所录。

名 三果。

苗 〔唐本注云〕树似胡桃，子形亦似胡桃，核似诃梨勒而圆短无棱，戎人谓之三果。〔药性论云〕番中人以此作浆，甚热，能染须发变黑色。〔海药云〕树不与诃梨勒同，子相似，但圆乃毗尔。

地 〔图经曰〕出西域及岭南交、爱等州。〔海药云〕生南海诸国。

时 〔生〕春生叶。〔采〕冬月取。

收 暴干。

用 实。

质 类胡桃。

色 青白。

味 苦，涩。

性 寒。〔海药云〕微温。

气 气薄味厚，阴也。

臭 朽。

主 下气，止泻痢。

制 剉碎用。

〇 木之木

# 菴摩勒

无毒　植生

菴[1]摩勒主风虚热气。

名医所录。

① 菴：原注“音谙”。

名 余甘子。

苗〔图经曰〕木高一二丈，枝条甚软，叶青细密，朝开暮敛，如夜合而叶微小。春生冬凋，三月有花，着条而生，如粟粒微黄，随即作荚，每荚三两子，至冬成熟，状如李柰而青白色，核圆作五六瓣，干即并核皆裂。其俗亦作果啖之，初觉味苦，良久更甘，故名余甘也。〔衍义曰〕菴摩勒，余甘子也。大小状如枳橘，即《经》中所谓菴摩勒果者是矣。

地〔图经曰〕生岭南交、广、爱等州，及西川蛮界山谷中皆有之。〔道地〕戎州。

时〔生〕春生叶。〔采〕十月取。

收 暴干。

用 实及核中仁。

质 类李柰而小。

色 青白。

味 苦、甘。

性 寒，泄。

气 气薄味厚，阴中之阳。

臭 朽。

主 益气强力。

治〔疗〕〔别录云〕治丹石伤肺，上气咳嗽。〔补〕〔别录云〕久服轻身，延年长生。

合治 子汁合油涂发，去风痒，脱后复生如漆黑。

○ 木之木

## 卫矛

无毒　植生

卫矛出神农本经。主女子崩中，下血，腹满汗出，除邪，杀鬼毒蛊疰。以上朱字神农本经。**中恶，腹痛，去白虫，消皮肤风毒肿，令从阴中解。**以上黑字名医所录。

名 鬼箭、狗骨。

苗〔图经曰〕卫矛即鬼箭也。三月后生苗，长四五尺，其干有三羽，状如箭翎，叶亦似山茶，青色。〔衍义曰〕卫矛，所在山谷皆有之，然未尝于平陆地见也。叶绝少，其茎黄褐色，若檗皮，三面如锋刃，人家多燔之遣祟，方家用之亦少。〔雷公云〕一种石茆根，头形真似鬼箭，只是上叶不同，味亦各别，用者亦宜辨之。

地〔图经曰〕出霍山山谷，今江淮州郡有之。〔陶隐居云〕山野处亦有。〔道地〕信州。

时〔生〕三月后生苗。〔采〕八月、十一月、十二月取。

收 阴干。

用 茎。

色 黄褐。

味 苦。

性 寒，泄。

气 气薄味厚，阴也。

臭 朽。

主 通月经，去瘀血。

制〔雷公云〕凡采得拭上赤毛，用酥缓炒过用之。每修事三两，用酥一分，炒酥尽为度。

治〔疗〕〔陶隐居云〕调妇人血气。〔药性论云〕破陈血落胎，主中恶，腰腹痛及百邪鬼魅。〔日华子云〕通月经，破癥结，止血崩带下，杀腹脏虫及产后血咬肚痛。〔别录云〕以五两，水六升煮四升，每服八合，日三，治乳无汁。

禁 妊娠不可服。

赝 石茆根为伪。

# 海桐皮

无毒　植生

海桐皮主霍乱，中恶，赤白久痢，除甘䘌疥癣。牙齿虫痛，并煮服及含之。水浸洗目，除肤赤。名医所录。

**苗**〔图经曰〕叶如手大，作三花，尖。皮若梓白皮，坚韧可作绳索，入水不烂。《广志》云：似桐皮，黄白色，故以名之。

**地**〔图经曰〕出南海已南山谷，及近海州郡亦有之。〔道地〕雷州。

**时**〔生〕春生叶。〔采〕不拘时取。

**收** 暴干。

**用** 皮。

**质** 类梓白皮而有钉盖，擘之可脱。

**色** 黄白。

**味** 苦。

**性** 平，泄。

**气** 味厚于气，阴中之阳。

**臭** 朽。

**主** 利腰膝，祛湿痹。

**治**〔疗〕〔日华子云〕治血脉麻痹疼痛。〔海药云〕腰脚不遂，顽痹，腿膝疼痛，霍乱，赤白泻痢，血痢，疥癣。

**合治** 以二两合牛膝、芎䓖、羌活、地骨皮、五加皮各一两，甘草半两，薏苡仁二两，生地黄十两，八物净洗，焙干细剉，生地黄以竹刀切，通用绵一两包裹，入无灰酒二斗浸，冬二七日，夏一七日，候熟，日三四次，时时一盏，长令醺醺，治风蹶，腰膝痛不可忍，及肾脏风毒攻刺。

○ 木之木

# 大腹

无毒 植生

大腹主冷热气攻心腹，大肠壅毒，痰膈醋心。并以姜、盐同煎，入疏气药良。名医所录。

苗〔图经曰〕所出与槟榔相似，但茎、叶、根、干小异。其实为大腹子，皮为大腹皮，连皮收之谓之大腹槟榔。或云：状如鸡心者为槟榔，其平塌者大腹子也。

地〔图经曰〕生南海诸国，今岭外州郡皆有之。

时〔生〕春生。〔采〕夏月取。

收 暴干。

用 皮及子。

色 苍。

味 辛。

性 微温，散。

气 气之厚者，阳也。

臭 朽。

主 除膨胀，利水肿。

制〔孙真人云〕鸩鸟多栖此树上，凡使，宜先酒洗，仍以大豆汁洗，方可用。

治〔疗〕〔日华子云〕下一切气，止霍乱，通大小肠，健脾，开胃，调中。

〇 木之走

# 紫藤

有小毒　蔓生

紫藤作煎如糖，下水良。〇花挼碎，拭酒醋白腐坏。〇角中仁，熬令香，著酒中，令不败。酒败者用之亦正。名医所录。

名 招豆藤。

苗〔图经曰〕四月生紫花，可爱，人亦种之。江东人呼为招豆藤，皮著树，从心重重。有皮。〔陈藏器云〕京都人亦种之，以饰庭池也。

地〔图经曰〕出江东。

时〔生〕春生叶。〔采〕四月取花，秋取子，不拘时取藤。

收 阴干。

用 藤、花、子。

色 藤青，花紫。

味 甘。

性 微温。

气 气厚味薄，阳中之阴。

臭 香。

主 水癃病。

制 剉碎用。

# 合欢

无毒　植生

合欢主安五脏，利心志，令人欢乐无忧。久服轻身，明目，得所欲。神农本经。

**名** 合欢树。〔叶〕合昏。〔花〕夜合花。

**苗** 〔图经曰〕合欢即夜合花也。木似梧桐，枝甚柔弱，叶似皂荚、槐等，极细而繁密，互相交结，每一风来，辄似相解了不相牵缀，其叶至暮而合，故名合昏。五月花发，红白色，瓣上若丝茸，然至秋而实作荚，子极薄细。崔豹《古今注》曰：欲蠲人之忧，则赠以丹棘；欲蠲人之忿，则赠以青裳。青裳，合欢也，故嵇康种之舍前是也。〔衍义曰〕合欢花，其色如今之醮晕线，上半白，下半肉红，散垂如丝，为花之异。其绿叶至夜则合，是谓之夜合花也。

**地** 〔图经曰〕生益州山谷，今近京、雍洛及人家庭除间多植之。

**时** 〔生〕春初生叶。〔采〕秋取实，不拘时取皮、叶。

**收** 晒干。

**用** 皮、叶、花。

**质** 枝叶类槐而柔弱。

**色** 青绿。

**味** 甘。

**性** 平。

**气** 气之薄者，阳中之阴。

**臭** 香。

**主** 消痈肿，续筋骨。

**治** 〔疗〕〔图经曰〕皮，治肺痈，以掌大一片，水三升，煎半服之。〔陈藏器云〕皮，杀虫。

**合治** 皮为末，合铛墨、生油调，涂蜘蛛咬疮。○花为末，酒调二钱服，治打揼损痛。

○ 木之木

# 虎杖根

无毒　植生

虎杖根主通利月水，破留血癥结。名医所录。

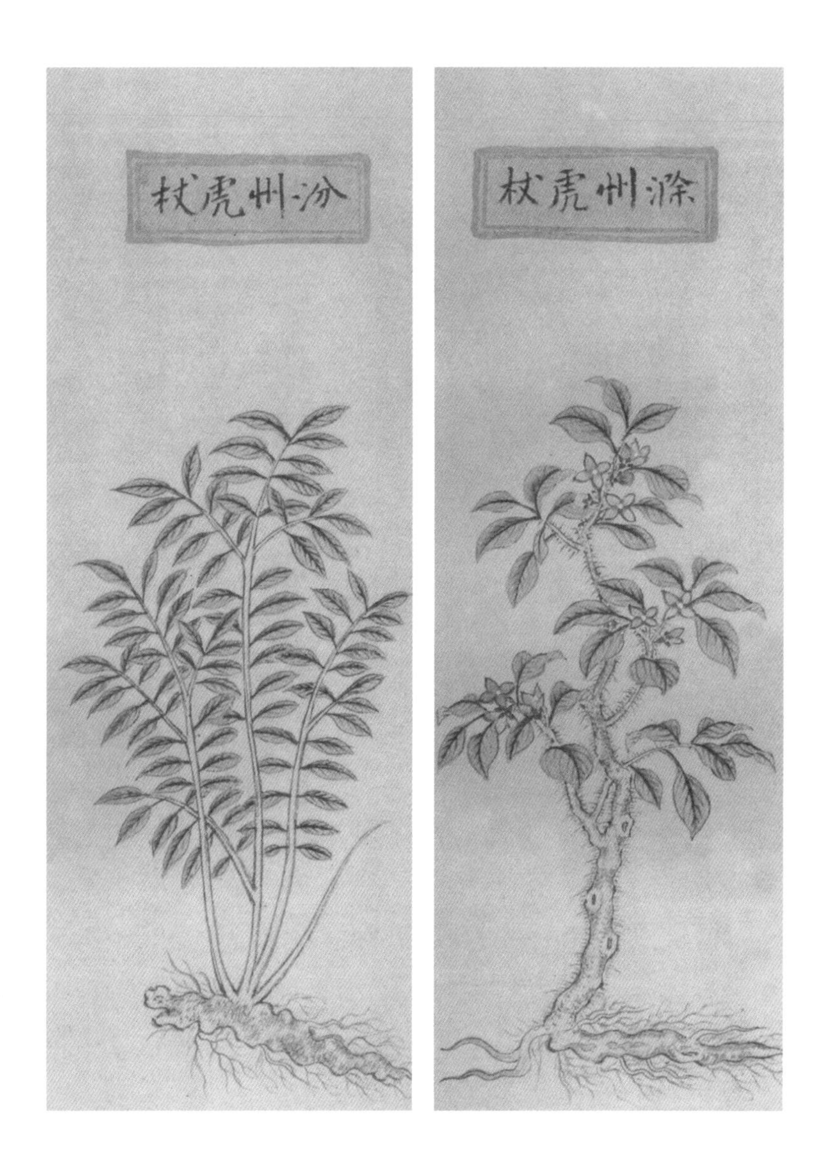


**名** 苦杖、大虫杖、酸杖。

**苗**〔图经曰〕三月生苗，茎如竹笋状，上有赤斑点，初生便分枝丫，叶似小杏叶，七月开花，九月结实。南中出者无花，根皮黑色，破开即黄，似柳根，亦有高丈余者。《尔雅》云：蒤虎杖。郭璞云：似荭草而粗大，有细刺，可以染赤者也。《药性论》云：暑月和甘草同煎，色如琥珀可爱，尝之甘美，瓶置井中令冷彻如冰，极解暑毒。〔衍义曰〕虎杖根微苦，《经》不言味，此草药也。《图经》言作高丈余，此全非虎杖，大率皆似寒菊，然花、叶、茎、蕊差大为异。仍茎、叶有淡黑斑，自六月、七月旋旋开花，至九月中方已，花片四出，其色如桃花差大，外微深。陕西山麓水次甚多。今天下暑月多煎根汁为饮，不得甘草，则不堪饮。《药性论》云味甘，实非虎杖之味，盖因甘草同煎故也。论其攻治，则甚当矣。

**地**〔图经曰〕今处处有之。〔道地〕越州、汾州、滁州。

**时**〔生〕春生苗。〔采〕二月、三月、八月。

**收** 暴干。

**用** 根。

**色** 皮黑，肉黄。

**味** 微苦。

**性** 微温，泄。

**气** 气厚于味，阳中之阴。

**臭** 朽。

**主** 通经脉，破血癥。

**制**〔雷公云〕凡使，根细剉，仍用其叶裛一夜，去叶，晒干用。

**治**〔疗〕〔药性论云〕治大热烦躁，止渴，利小便，压一切热毒。〔日华子云〕治产后恶血不下，心腹胀满，排脓及疮疖痈毒。妇人血晕，扑损瘀血，破风毒结气。〔陈藏器云〕治风在骨节间及血瘀，煮汁作酒服之。

**合治** 为末，合蜜丸如赤豆大，米饮下，疗肠痔下血。〇为末，合米饮，不拘时调服二钱，治五淋。

**禁** 妊娠不可服。

**赝** 天蓝并斑袖根二种形味相似，为伪。

# 五倍子

无毒　寄生

五倍子主齿宣疳䘌，肺脏风毒流溢皮肤，作风湿，癣疮瘙痒脓水，五痔下血不止，小儿面鼻疳疮。名医所录。

名 文蛤、百虫仓。

苗〔图经曰〕生肤木叶上，于七月间无花结实，木色青黄，其实亦青，至熟而黄。〔谨按〕五倍子，附木叶而生，其木高丈许，青黄色，叶如冬青，厚而光泽。四月开细黄花，有实如豆，人亦取食之。其叶可以饲猪，故名猪草树，又名肤木。于五六月露零，叶底凝结成窠，初白渐黄，小者如指，大者如儿拳，经霜采之，久则其中有虫及白花茸茸然。盖禀露气之精华，钟木之脉液而成者也。

地〔图经曰〕生洋州，今在处有之。〔道地〕蜀中者为胜。

时〔生〕五六月。〔采〕九月取。

收 暴干。

用 子。

色 苍褐。

味 苦、酸。

性 平，收。

气 味厚于气，阴中之阳。

臭 腥。

主 生津液，涩肠胃。

制 去枝梗，捣末用。

治〔疗〕〔陈藏器云〕止肠虚泄痢。〔衍义曰〕治口疮，为末掺之。

合治 生、熟各一枚，合甘草，湿纸裹炮，捣末，治小儿吐不定，每服米泔调下半钱，立瘥。

# 伏牛花

无毒　植生

伏牛花疗久风湿痹，四肢拘挛，骨肉疼痛。作汤，主风眩头痛，五痔下血。名医所录。

**名** 隔虎刺花。

**苗** 〔图经曰〕其叶青细，似黄檗叶而不光，茎赤有刺，花淡黄作穗，似杏花而小。

**地** 〔图经曰〕生蜀地，所在皆有，今惟益蜀近郡有之，多生川泽中。

**时** 〔生〕春生叶。〔采〕三月取。

**收** 阴干。

**用** 花。

**质** 类杏花而小。

**色** 淡黄。

**味** 苦、甘。

**性** 平，缓。

**气** 气味俱薄，阳中之阴。

**臭** 香。

**主** 渗湿舒筋。

# 天竺黄

无毒　植生

天竺黄主小儿惊风，天吊，镇心，明目，去诸风热，疗金疮，止血，滋养五脏。名医所录。

名 竹膏。

苗 〔图经曰〕按《临海志》云：生天竺国，今诸竹内往往得之。〔衍义曰〕天竺黄自是竹内所生，如黄土。着竹成片，人剖而得之乃真也。

地 〔图经曰〕生天竺国。〔道地〕闽中。

时 〔生〕无时。〔采〕无时。

收 阴干。

用 竹中黄。

色 青白。

味 甘。

性 寒，缓。

气 气之薄者，阳中之阴。

臭 香。

主 祛风镇惊。

制 捣细用。

治 〔疗〕〔日华子云〕治中风，痰壅，卒失音不语，小儿客忤及痫痰。〔衍义曰〕凉心经，去风热，作小儿药尤宜，和缓故也。

赝 人多烧诸骨及葛粉等杂之，为伪。

# 蜜蒙花

无毒　植生

蜜蒙花主青盲肤翳，赤涩多眵泪，消目中赤脉。小儿麸豆及疳气攻眼。名医所录。

**名** 小锦花。

**苗** 〔图经曰〕树高丈余，叶似冬青叶而厚，背白色有细毛，又似橘叶，花微紫色。〔衍义曰〕其叶凌冬不凋。然不似冬青，盖柔而不光洁，色不深绿。花细碎，数十房成一朵。冬生春开，以蜜制花，故曰蜜蒙花也。

**地** 〔图经曰〕生益州川谷，今蜀中州郡皆有之。〔衍义曰〕利州路甚多。〔道地〕简州。

**时** 〔生〕冬生蕊。〔采〕二月、三月取。

**收** 暴干。

**用** 花。

**色** 微紫。

**味** 甘。

**性** 平，微寒。

**气** 气味俱薄，阳中之阴。

**臭** 香。

**主** 目疾。

**制** 〔雷公云〕凡使，先拣净，每花一两，用酒八两浸一宿，漉出候干，却，拌蜜半两令润，蒸，从卯至酉，出，日干，如此拌蒸三度，又却，日干用。

# 天竺桂

无毒　植生

天竺桂主腹内诸冷，血气胀。功用似桂，皮薄，不过烈。名医所录。

苗〔衍义曰〕天竺桂与牡、菌桂同，但薄而已。方家少用之。

地〔图经曰〕出西胡国。〔海药云〕生南海山谷。

时〔生〕春开花。〔采〕秋取。

用皮。

色紫。

味辛。

性温，散。

气气之厚者，阳也。

臭香。

制去粗皮，剉碎用。

治〔疗〕〔海药云〕破产后恶血，治血痢，肠风。〔补〕〔海药云〕暖腰脚。

○ 木之走

# 折伤木

无毒　蔓生

折伤木主伤折筋骨，疼痛，散血，补血，产后血闷，止痛，酒水煮浓汁饮之。名医所录。

**苗**〔唐本注云〕藤生，绕树上，叶似莽草叶而光厚。

**地**〔图经曰〕生资州山谷。

**时**〔生〕春生叶。〔采〕八月、九月取。

**收**日干。

**用**茎。

**色**青黄。

**味**甘、咸。

**性**平，缓。

**气**气之薄者，阳中之阴。

**臭**朽。

**主**散血，补血。

# 桑花

无毒　丽生

桑花主健脾涩肠，止鼻洪吐血，肠风，崩中带下。名医所录。

**苗**〔图经曰〕此不是桑椹花，乃桑树皮上白藓，状如地钱花者是也。

**地**〔图经曰〕处处有之。

**时**〔生〕无时。〔采〕无时。

**收** 阴干。

**用** 花。

**质** 类地钱。

**色** 青白。

**性** 暖。

**气** 气之厚者，阳也。

**臭** 朽。

**主** 涩肠胃，止鼻衄。

**制** 微炒用。

# 椋子木

无毒　植生

椋[1]子木主折伤，破恶血，养好血，安胎，止痛，生肉。名医所录。

① 椋：原注“音良”。

苗〔唐本注云〕叶似柿，两叶相当，子细圆如牛李子，生青熟黑。其木坚重，煮汁赤色。郭注云：椋，材中车辋，亦堪入药。

时〔生〕春生叶。〔采〕八月、九月取。

收 日干。

用 木。

色 赤。

味 甘、咸。

性 平，缓。

气 气之薄者，阳中之阴。

臭 朽。

主 破恶血，养好血。

制 剉碎，煮汁用。

# 每始王木

无毒　蔓生

每始王木主伤折跌筋骨，生肌，破血，止痛。酒水煮浓汁饮之。

名医所录。

**苗**〔唐本注云〕藤生绕树，木上生叶，似萝藦叶。

**地**〔图经曰〕生资州山谷。

**时**〔生〕春生叶。〔采〕二月、八月取。

**收** 暴干。

**用** 藤。

**色** 青绿。

**味** 苦。

**性** 平，泄。

**气** 味厚于气，阴中之阳。

**臭** 朽。

**主** 生肌，止痛。

**制** 剉碎用。

# 阿魏

无毒　植生

阿魏主杀诸小虫，去臭气，破癥积，下恶气，除邪鬼，蛊毒。

名医所录。

名 形虞、阿虞。

苗〔图经曰〕苗、叶、根极似白芷，捣根汁，日煎作饼者为上，截根穿，暴干者为次。体性极臭而能止臭，亦为奇物也。今广州出者，云是木膏液滴酿结成，二说不同。按段成式《酉阳杂俎》云：生波斯国，呼为阿虞，木长八九尺，皮色青黄，三月生叶似鼠耳，无花实。断其枝，汁出如饴，久乃坚凝。或云：取其汁和米豆屑合酿而成，与广州所产者相近。〔别录云〕是木津液，如桃胶状，其色黑者不堪，其状黄散者为上。又云南长河中亦有舶上来者，滋味相似，只无黄色耳。

地〔图经曰〕出西蕃及昆仑。〔别录云〕伽阇那国。〔道地〕波斯国及广州。

时〔生〕春生叶。〔采〕无时。

收 暴干。

用 液黄赤者为佳。〔雷公云〕其有三验。第一验，将半铢安于熟铜器中一宿，至明，沾阿魏处白如银，永无赤色。第二验，将一铢置于五斟草自然汁中一夜，至明，如鲜血色。第三验，将一铢安于柚树上，立干，便是真。

质 类没药而软。

色 黄、黑、白，亦有玛瑙斑者。

味 辛。

性 平，散。

气 气味俱厚，阳也。

臭 臭。

主 去臭辟邪。

制〔雷公云〕凡使，先于净钵中研如粉，了，于热酒器上裛过，任入药用。

治〔疗〕〔日华子云〕治传尸，破癥癖冷气，辟温除疟，及霍乱心腹痛，肾气温瘴。〔海药云〕主风邪鬼疰，心腹中冷。

解 一切蕈菜毒。

赝 日煎蒜饼为伪。

○ 木之木

# 牡丹

无毒　植生

牡丹出神农本经。主寒热，中风，瘈[①]疭[②]痉，惊痫，邪气，除癥坚，瘀血留舍肠胃，安五脏，疗痈疮。以上朱字神农本经。除时气头痛，客热，五劳劳气，头腰痛，风噤癫疾。以上黑字名医所录。

① 瘈：原注“音契”。
② 疭：原注“音纵”。

**名** 鹿韭、鼠姑、百两金、吴牡丹、木芍药。

**苗**〔图经曰〕其茎梗枯燥，黑白色，二月于梗上生苗、叶，三月开花，有黄、紫、红、白数色，其花、叶与人家所种者相似，但花止五六瓣尔。五月结子，黑色如鸡头子大，根黄白色，长五七寸，大如笔管，此山牡丹也，宜入药用。近世人多贵重。圃人欲其花之诡异，皆秋冬移接，培以壤土，至春盛开，其状百变，故其根性殊失本真，此品绝无力也。〔唐本注云〕剑南者苗似羊桃，夏生白花，秋实圆绿，冬实赤色，凌冬不凋，根似芍药，肉白皮丹，谓之吴牡丹者为真。今俗用者异于此，别有臊气也。

**地**〔图经曰〕生巴郡山谷、汉中，丹、延、青、越、滁、和等州山中皆有之。〔日华子云〕海盐次之。〔道地〕巴蜀剑南、合州、和州、宣州者并良。

**时**〔生〕二月生苗。〔采〕二月、八月取。

**收** 阴干。

**用** 根皮。

**质** 类地骨皮而坚赤。

**色** 紫。

**味** 辛、苦。

**性** 微寒，泄。

**气** 气薄味厚，阴中之阳。

**臭** 香。

**主** 无汗骨蒸，泻阴中火。

**行** 手厥阴经，足少阴经。

**反** 畏菟丝子。

制〔雷公云〕凡使，采得后日干，用铜刀劈破去骨，细剉如豆许，用清酒拌蒸，从巳至未，出，日干用。

治〔疗〕〔药性论云〕除冷气，散诸痛，治女子经脉不通，血沥，腰疼。〔日华子云〕祛邪气，通关膝血脉，排脓，消扑损瘀血，续筋骨，除风痹，治胎下胞，产后一切疾，女人冷热血气。〔汤液本草云〕治肠胃积血，衄血，吐血及神志不足。〔别录云〕治蛊毒及下部生疮，并末服一钱匕，日三。〔补〕〔日华子云〕悦颜色。

忌 蒜。

# 卢会

无毒　植生

卢会主热风烦闷，胸膈间热气，明目，镇心，小儿癫痫惊风，疗五疳，杀三虫及痔病疮瘘。名医所录。

名 讷会、奴会、象胆。

苗〔图经曰〕其木生山野中，滴脂泪而成，俗呼为象胆，盖以其味苦如胆而然也。《药谱》云：树脂也。《本草》不细委曲，谓是象胆，殊非矣。〔谨按〕此种多伪。若欲辨之，以瓷盘贮热水，取卢会如黄豆许两粒，置于水内两傍，其水底各出黄色一道，自然相接者乃为真也。

地〔图经曰〕生波斯国，今广州有之。

时〔生〕无时。〔采〕无时。

收 以瓷器盛贮。

用 脂，以明亮者为好。

质 类黑饧而坚硬。

色 黑。

味 苦。

性 寒，泄。

气 气薄味厚，阴也。

臭 香。

主 消疳杀虫。

制 捣细用。

治〔疗〕〔药性论云〕杀小儿疳蛔。吹鼻，杀脑疳，除鼻痒。〔别录云〕除小儿诸热。

合治 以一两，合炙甘草半两，各为末，匀和，治癣。先以温浆水洗，后绢帛拭干，以傅之，良。○以四分，杵末，先以盐揩齿，令洗净，然后傅少末于上，治䘌齿。

# 败天公

无毒

败天公主鬼疰精魅。

烧灰酒服之。名医所录。

**名** 竹笠。

**苗** 〔陶隐居云〕败天公乃人所戴旧竹笠也。〔谨按〕南人织篾而成，衬以箬叶，冠首以避雨旸，名曰竹笠。物虽小而加于众体之上，岁月既久，雨淋日炙，人气所蒸，感受精华，故能逼祟，谓之败天公者，所以重之也。

**用** 篾。

**性** 平。

**制** 烧灰酒服。

○ 木之走

# 猪腰子

无毒　蔓生

猪腰子傅一切肿毒。

今补。

**苗**〔谨按〕此种宿藤，围可盈尺，嫩时色青，老则紫黑，上有裂纹，多于山溪涧旁缘木石而上。每茎端著三叶，青色，断之有红津出，渔人取以染网。三月开花，色红紫，如刀豆花，至夏作荚，中有独实者，或有二实者，色紫而有白络，形如猪肾，故以名之。经霜后落荚坼自露，人亦啖之。

**地** 生广西西融县。

**时**〔生〕五月、六月。〔采〕八月、九月。

**收** 日干。

**用** 仁。

**质** 类猪肾。

**色** 皮紫，肉黄白。

**味** 酸、甘。

**性** 平。

**气** 气之薄者，阳中之阴。

**臭** 香。

**制** 去皮用。

**治**〔疗〕咽喉疼痛，含之咽津。

**合治** 合山茨菰、续随子、大戟、文蛤、麝香、雄黄、朱砂作锭子，傅一切恶疮，痈疽发背，疔肿，此方即加味神仙太乙金丹也。

## 二十二种陈藏器余

**牛领藤**味甘，温，无毒。主腹内冷，腰膝疼弱，小便白数，阳道乏。煮汁浸酒服之。生岭南高山，形褊如牛领，取之阴干也。

**枕材**味辛，小温，无毒。主咳嗽，痰饮，积聚胀满，鬼气，疰忤，煮汁服之。亦可作浴汤，浸脚气及小儿疮疥。生南海山谷。作舸舡，次于樟木，无药处用之也。

**鬼膊藤**味苦，温，无毒。主痈肿，捣茎叶傅之。藤堪浸酒，去风血。生江南林涧中，叶如梨，子如柤子。山人亦名鬼薄者也。

**木戟**味辛，温，无毒。主痃癖，气在脏腑。生山中，叶如栀子也。

**奴柘**味苦，小温，无毒。主老血瘕，男子痃癖，闪痞，取刺。和三棱草、马鞭草作煎如稠糖，病在心食后，在脐空心服，当下恶物。生江南山野，似柘，节有刺，冬不凋。

**温藤**味甘，温，无毒。主风血，积冷，浸酒服之。生江南山谷，不凋，著树生也。

**鬼齿**无毒。主中恶，疰忤，心腹痛，此腐竹根先入地者。煮服之。亦名鬼针，为其贼恶，隐其名尔。

**铁槌柄**无毒。主鬼打及疆鬼排突人致恶者。和桃奴、鬼箭等丸服之。

**古衬板**无毒。主鬼气，疰忤，中恶，心腹痛，背急气喘，恶梦悸，常为鬼神所祟挠者。水及酒和东引桃枝煎服，当得吐下。古冢中棺木也，弥古者佳，杉材最良，千岁者通神，作琴底。《尔雅》注云：杉，生江南，作棺埋之不腐。

**慈母**无毒。取枝叶炙黄香作饭，下气止渴，令人不睡，主小儿痰痞。生山林间，叶如樱桃而小，树高丈余，山人并识之。

**饭箩烧作灰**无毒。主时行病后食劳，取方寸匕服。南方人谓筐也。又篮耳烧作灰末，傅狗咬疮。篮，竹器也。

**白马骨**无毒。主恶疮。和黄连、细辛、白调、牛膝、鸡桑皮、黄荆等烧为末，淋汁取，治瘰疬，恶疮，蚀息肉，白癜风，以物揩破涂之。又单取茎、叶煮汁服之，止水痢。生江东，似石榴而短小，对节。

**紫衣**味苦，无毒。主黄疸暴热，目黄沉重，下水癊，亦止热痢，煮服之。作灰淋取汁沐头，长发。此古木锦花也，石瓦皆有之，堪染褐，下水。《广济方》云：长发也。

**梳篦**无毒。主虱病者，汁服。虱病，是活虱入腹为病如癥瘕者。又梳篦垢，主小儿恶气，霍乱，水和饮之。

**倒挂藤**味苦，无毒。主一切老血及产后诸疾结痛，血上欲死，煮汁服。生深山，如悬钩，有逆刺，倒挂于树，叶尖而长也。

**故木砧**一名百味，无毒。主人病后食劳复，取发当时来参病人行止脚下土，如钱许，男病左，女病右，和砧上垢及鼠头一枚，无即以鼠屎三七煮服之，神效。又卒心腹痛，取砧上垢，著人鞋履底悉穿。又栅几上屑烧，傅吻上嚵疮。

**古厕木**主鬼魅，传尸，温疫，魍魉，神等，取木以太岁所在日时，当户烧熏之。又熏[1]杖疮，冷风不入，以木于疮上熏之。厕筹主难产及霍乱，身冷转筋，于床下烧，取热气彻上，亦主中恶，鬼气。此物虽微，其功可录。

**桃橛**无毒。主卒心腹痛，鬼疰，破血，恶气，胀满，煮服之。三载者良。桃性去恶，橛更辟邪。桃符与桃橛同功也。

**梭头**主失音不语吃病者，刺手心令痛即语，男左女右。

**救月杖**主月蚀疮及月割耳，烧为灰，油和傅之。杖即月蚀时，救月击物木也。人亦取月桂子碎，傅耳后月蚀耳疮。今江东诸处，每至四五月后晦，多于衢路间得之，大如狸豆，破之辛香，古老相传，是月中下也。山

① 熏：此后原衍“之”字，据《证类本草》删。

桂犹堪为药，况月桂乎？正应不的识其功耳。今江东处处有，不知北地何意独无为。当非月路耶，月感之矣。余杭灵隐寺僧云：种得一株，近代诗人多所论述。《汉武洞冥记》云：有远飞鸡，朝往夕还，常衔桂实，归于南土。所以北方无，南方月路，所以有也。

**地龙藤**味苦，无毒。主风血，羸老，腹内及腰脚诸冷，食不作肌肤，浸酒服之。生天目山，蟠屈如龙，故号地龙藤。绕树木生，似龙所生，与此颇同，小有异耳，吴中亦有也。

**火槽头**主蝎螫，横井上立愈。上立炭主金疮，刮取傅疮上，止血生肉。带之辟邪恶鬼。带火内水底，取得水银著出。

本草品汇精要卷之十九

# 本草品汇精要

## ·卷之二十·

# 木　部<br>下品之上

一十四种　神农本经 朱字

二种　名医别录 黑字

一十二种　唐本先附 注云唐附

六种　宋本先附 注云宋附

一种　今分条

一十三种　陈藏器余

已上总四十八种，内一十四种今增图

| | | |
|---|---|---|
| 巴豆 | 蜀椒崖椒、目、叶附 | 皂荚鬼皂荚附 |
| 诃梨勒唐附，随风子附 | 柳华叶、实、子汁附 | 楝实即金铃子也，根皮附 |
| 椿木叶唐附 | 樗木原附椿木叶下，今分条 | |
| 郁李仁根附 | 莽草 | 无食子唐附，今增图 |
| 黄药根宋附 | 雷丸今增图 | 槲[1]若唐附，皮附 |
| 白杨树皮唐附 | 桄榔子宋附 | 苏方木唐附，今增图 |
| 榉树皮叶、山榉树皮附，今增图 | | 桐叶花、皮、油附 |
| 胡椒唐附，今增图 | 钓樟根皮樟材附，今增图 | |
| 千金藤宋附，今增图 | 南烛枝叶宋附 | 无患子皮[2]宋附，今增图 |
| 梓白皮叶附 | 橡实唐附，实、皮、壳附 | 石南实附 |
| 木天蓼唐附，子附 | 黄环今增图 | 溲[3]疏[4]今增图 |
| 鼠李 | 枳[5]椇[6]唐附，今增图 | 小天蓼宋附，今增图 |
| 小檗唐附，今增图 | 荚蒾唐附，今增图 | |

① 槲：原注“音斛”。
② 皮：原无，据正文药名补。
③ 溲：原注“音搜”。
④ 疏：原注“音踈”。
⑤ 枳：原注“音止”。
⑥ 椇：原注“音矩”。

一十三种陈藏器余

| | | |
|---|---|---|
| 栟榈木皮[1] | 楸木皮 | 没离梨 |
| 柯树皮 | 败扇 | 楤根 |
| 橉木灰 | 椰桐皮 | 竹肉 |
| 桃竹笋 | 罂子桐子 | 马疡木根皮[2] |
| 木细辛 | | |

① 皮：原无，据正文药名补。
② 根皮：原无，据正文药名补。

本草品汇精要卷之二十

木部下品之上

○ 木之木

## 巴豆

大毒　植生

巴豆出神农本经。主伤寒温疟寒热，破癥瘕，结聚坚积，留饮，痰澼，大腹水胀，荡涤五脏六腑，开通闭塞，利水谷道，去恶肉，除鬼毒，蛊疰，邪物，杀虫鱼。以上朱字神农本经。**疗女子月闭，烂胎，金疮，脓血不利，丈夫阴癞。可练饵之，益血脉，令人色好变化，与鬼神通。**以上黑字名医所录。

名 巴椒、金线巴豆。

苗 〔图经曰〕木高一二丈，叶如樱桃而厚大，初生青，后渐黄赤，至十二月叶渐凋，二月叶渐生，至四月旧叶落尽，新叶齐生。即花发成穗，微黄色，五六月结实作房，生青，至八月熟而黄，类白豆蔻，渐渐自落，即收之。一房有三瓣，一瓣有实一粒，同蒂各有壳裹，一房共实三粒。戎州出者，壳上有纵纹，隐起如线，一道至两三道，彼土人呼为金线巴豆，最为上等，它处亦稀有。

地 〔图经曰〕生巴郡川谷。〔道地〕戎州、眉州、嘉州者良。

时 〔生〕春生叶。〔采〕八月、十月取实。

收 阴干。

用 实。

质 类蓖[①]麻子，壳黄而有棱。

色 壳微黄，肉粒白。

味 辛。

性 生温，熟寒。

气 气之厚者，阳也。

臭 焦。

主 破癥瘕，利谷道。

助 芫花为之使。

反 畏大黄、黄连、藜芦，恶蘘草。

制 〔雷公云〕凡修事，须敲碎去壳，以麻油并酒等可煮巴豆，了，研膏后用。每修事一两，以酒、麻油各七合，煮尽为度。〔日华子云〕凡合丸散，炒不如去心膜，水煮五度，换水各一沸。

---

① 蓖：原作“蓽”，据药名改。

或捣碎，以重纸压渗去油，亦好。

治〔疗〕〔药性论云〕破心腹积聚结气，治十种水肿，痿痹大腹。〔日华子云〕通宣一切病，泄壅滞，除风补劳，健脾开胃，消痰破血，排脓消肿毒，杀腹脏虫。治蛊，疗息肉及疥癞，疔肿。〔陈藏器云〕主癥癖，痃气，痞满，腹内积聚，冷气血块，宿食不消，痰饮吐水。取青黑大者，每日空腹服一枚，去壳，勿令白膜破，乃作两片，并四边不得有损缺，吞之以饮，压令下，少间腹内热如火，利出恶物，虽利不虚。若久服亦不利。〔别录云〕治喉闭，缠喉风，以巴豆两粒，纸紧角可通得入鼻，用刀切断两头壳子，将针作孔子，内鼻中，良久即瘥。

合治 巴豆微熬，合蜣螂同研，涂箭镞入骨不可拔者，涂之始则微痒，待极痒不可忍，便撼动，即拔出。○巴豆一两去皮心，熬，细研，取猪肝和丸，空心米饮，量力加减，服之治气痢。或牛肝丸之亦佳。

禁 不宜多服。妊娠服之堕胎。

忌 芦笋、酱、豉、冷水。

解 杀斑蝥、蛇虺毒。中巴豆毒，以黄连汁、大豆汁解之。

赝〔雷公云〕凡使，巴与豆及刚子须细认，勿误用杀人。巴颗小紧实，色黄；豆即颗有三棱，黑色；刚子颗小似枣核，两头尖。巴与豆可用，刚子不可入药。

○ 木之木

# 蜀椒

有毒　附崖椒、目、叶

丛生

蜀椒出神农本经。主邪气咳逆，温中，逐骨节皮肤死肌，寒湿痹痛，下气。久服之，头不白，轻身增年。以上朱字神农本经。除六腑寒冷，伤寒，温疟，大风汗不出，心腹留饮，宿食，肠澼，下痢，泄精，女子字乳余疾。散风邪瘕结，水肿，黄疸，鬼疰，蛊毒，杀虫鱼毒。开腠理，通血脉，坚齿发，调关节，耐寒暑。可

**作膏药，多食令人乏气。**

以上黑字名医所录。

**名** 巴椒、蓎[①]藙[②]、崖椒、汉椒、南椒。

**苗**〔图经曰〕树高四五尺，似茱萸而小，有针刺，叶坚而滑，四月结子，无花，但生于叶间，如小豆颗而圆，皮紫赤色。此椒江淮及北土皆有之，茎、实都相类，但不及蜀中者皮肉厚，腹里白，气味浓烈尔。又有一种崖椒，彼土人四季采皮入药。〔尔雅疏云〕檓，大椒之别名。郭云：今椒树丛生，实大者名为檓。陆机云：蜀人作茶，吴人作茗，皆合煮其叶以为香。今成皋诸山间有椒，谓之竹叶椒，其树亦如蜀椒，少毒热，不中合药也。可煮饮食中用，蒸鸡、豚最佳。〔谨按〕蜀椒由蜀地所产者，故言蜀椒。大

① 蓎：原注“音唐”。

② 藙：原注“音毅”。

率椒株皆相似，但蜀椒皱纹高，非比它椒皱纹低而为别也。已上云江淮北土、成皋诸山所出者概类蜀椒，故附于此。

地〔图经曰〕生武都川谷及巴郡，今归、峡及陕、洛间人家园圃多种之。〔道地〕蜀川金州，西域施州。

时〔生〕春生叶。〔采〕八月取实。

收 阴干。

用 实、目、叶、皮。

质 类小豆颗而圆，开口有皱纹。

色 紫赤。

味 辛。

性 温、大热。

气 气之厚者，阳也。

臭 香。

主 腹内冷痛，温中下气。

助 杏仁为之使。

反 畏款冬花、雄黄、附子、防风。

制〔雷公云〕凡使，去目及闭口者，先须酒拌令湿，蒸从巳至午，放冷密盖，除向下火，四畔无气后取出，便入瓷器中盛，勿令伤风用。或微炒出汗，去梗用。

治〔疗〕〔药性论云〕蜀椒，治风顽，头风下泪，腰脚不遂，留结破血，下诸石水，止嗽，除齿痛。○目，主十二种水气。〔日华子云〕汉椒，破癥结，开胃，及天行时气温疫，产后宿血，及心腹气。疗阴汗，缩小便。○目，主膀胱急。〔补〕〔药性论云〕蜀椒，补虚损。〔日华子云〕汉椒，壮阳，暖腰膝。

合治 目合巴豆、菖蒲、松脂，熔蜡为筒子，内耳中，疗肾气虚，耳中如风水等声，及卒暴耳聋。〇叶合葱、艾研，醋汤拌罯，治[1]奔豚伏梁气，及内外肾钓，霍乱转筋。禁闭口者杀人。六月、十月食之，损气伤心，令人多忘。

赝 竹叶椒为伪。

① 治：原脱，据印本补。

# 皂荚

有小毒　附鬼皂荚　植生

皂荚出神农本经。主风痹，死肌，邪气，风头泪出，利九窍，杀精物。以上朱字神农本经。疗腹胀满，消谷，除咳嗽，囊结，妇人胞不落，明目，益精。可为沐药，不入汤。以上黑字名医所录。

**苗**〔图经曰〕木极高大，其叶嫩芽亦可为茹，而更益人。老干多生刺针，夏作荚，经霜后色黑则熟。此有三种，但枝叶相似，惟其荚有大小为异。《本经》云：形如猪牙者，良。陶注云：长尺二者，良。唐注云：长六七寸圆厚者大好。今医家入疏风药多用长者，入齿及取积药多用小者。所用虽殊，大抵性味不远。核中白肉亦入药用。〔唐本注云〕猪牙皂荚最下，其形曲戾薄恶，全无滋润，洗垢不去。其长尺二者，粗大虚而无润，不若长六七寸圆厚，节促而皮薄多肉，味浓者最佳也。〔陈藏器云〕又一种鬼皂荚，生江南池泽，如皂荚，高一二尺，作浴汤，去风疮疥癣，沐发长头。挼叶，亦去衣垢。

**地**〔图经曰〕出雍州川谷及鲁邹县，今处处有之。〔道地〕怀、孟州者为胜。

**时**〔生〕春生叶。〔采〕九月、十月取荚。

收 阴干。

用 荚、针、核中肉。

色 黑赤。

味 辛、咸。

性 温，散。

气 气厚味薄，阳中之阴。

臭 腥。

主 除风痹，利九窍。

助 柏实为之使。

反 畏空青、人参、苦参，恶麦门冬。

制 〔雷公曰〕凡使，须要赤肥不蚛者，用新汲水浸一宿，铜刀削去粗皮，用酥炙尽为度。然后捶之去子，捣筛日干用。又子拣圆肥满、坚硬不蛀者，用瓶盛，下水于火畔煮，待泡熟剥去硬皮一重，取向里肉两片，去黄，其黄消人肾气。将白两片，铜刀细切，日干用。

治 〔疗〕〔药性论云〕破坚癥，腹中痛。〔日华子云〕通关节，消痰，杀劳虫及骨蒸，开胃，并中风口噤。〔别录云〕鬼魇不寤①，霍乱转筋，误食物呛鼻中及物入眼不出，并卒头痛，或卒暴死，俱末吹鼻中。〔图经曰〕核炮，取中黄心，嚼饵，去膈痰吞酸。

合治 合酒熬膏，贴一切肿毒，止疼痛。○合盐烧末，揩齿痛。○嫩刺针合米醋熬浓汁，傅疮癣。

禁 妊娠不可服。

---

① 寤：原作“悟”，据印本改。

# 诃梨勒

无毒　附随风子　植生

诃梨勒主冷气，心腹胀满，下食。名医所录。

名 随风子[①]。

苗〔图经曰〕株似木梡，花白，子似栀子，青黄色，皮肉相著。七八月实熟时采，六路者佳。《岭南异物志》云：广州法性寺有四五十株，子极小而味不涩，皆是六路，每岁州贡，只以此寺者。其子未熟时被风飘堕者，谓之随风子，彼人尤珍贵，益小者益佳。〔雷公云〕有毗梨勒、罨梨勒、榔精勒、杂路勒，若诃梨勒纹只有六路也。或多或少并是毗、杂路勒。个个皆圆，露纹或八路至十三路，号曰榔精勒，多涩不堪用。

地〔图经曰〕生交、爱州，今岭南皆有。〔道地〕广州者最胜，波斯舶上者良。

时〔生〕春生叶。〔采〕七月、八月取实。

收 暴干。

用 子肉厚，六棱者良。

质 类橄榄而有棱。

色 青黄。

味 苦、酸。

性 温。

气 气薄味厚，阴中之阳。

臭 香。

主 心腹胀满，止泻痢。

制〔雷公云〕凡用，先于酒内浸，然后蒸一伏时，取出以刀削路，剉，焙干用之。或生用。

治〔疗〕〔图经曰〕止痢。〔药性论云〕通利津液，破胸膈

① 随风子：原注“即未熟风飘堕者”。

结气，止水道，黑髭发。〔日华子云〕消痰，下气，除烦，治水，调中，止霍乱，奔豚肾气，肺气喘急，消食开胃，肠风泻血，崩中带下，五膈气，及怀孕未足月人漏胎并胎动欲生，胀闷，气喘。〔萧炳云〕下宿物，止肠澼，久泄赤白痢。〔图经曰〕随风子，疗痰嗽，咽喉不利。

合治 合蜡烧熏及煎汤熏洗，疗患痢人后分急痛，并产后阴痛。

禁 气虚人忌多服。

赝 毗、杂路勒、榔精勒为伪。

# 柳华

无毒　附叶、实、子汁

植生

柳华出神农本经。主风水黄疸，面热黑。○叶，主马疥，痂疮。○实，主溃痈，逐脓血。以上朱字神农本经。华，痂疥，恶疮，金疮。○叶，取煎煮，以洗马疥，立愈。又疗心腹内血，止痛。○子汁，疗渴。以上黑字名医所录。

名 柳絮[1]。

苗〔图经曰〕柳乃柔脆易生之木，虽纵横颠倒植之皆生。俗所谓杨者，非也。三月生蕊如桑椹而细长，蕊老则絮飞。《本经》以絮为华。陈藏器云：华即初发黄蕊，子乃飞絮也。〔衍义曰〕柳华即是初生黄蕊，及其华干絮方出，又谓之柳絮。收之可贴灸疮，及为裀褥。絮之下连黑子，因风而起，著湿便生，如地丁之类，不因种植，于人家庭院中自然生出，盖如柳絮兼子而飞。陈藏器所云花即初发黄蕊，子为飞絮，盖不可以絮为花也。

地〔图经曰〕生琅琊川谷，今处处有之。

时〔生〕春生叶。〔采〕四月取。

收 阴干。

用 华、叶、实。

质 类石菖蒲穗而体小。

色 花白，叶绿，实黑。

味 苦。

性 寒，泄。

气 味厚于气，阴也。

臭 香。

主 恶疮，齿痛。

制 花为末，其枝叶剉碎，并入药用。

治〔疗〕〔陶隐居云〕贴灸疮。○皮、叶，疗漆疮。〔图经曰〕枝、皮、根，消痈疽，肿毒，妒乳。○枝、叶并煎膏，涂疔疮及反花疮。〔唐本注云〕木中虫屑并枝、皮，除痰，热淋，

① 柳絮：原注“子名”。

可为吐汤。及煮，洗风肿痒并瘾疹。〔药性论云〕苦柳华，止血，除湿痹，四肢挛急，膝痛。〔日华子云〕叶，主天行热病，传尸，骨蒸劳，汤火疮毒入腹，热闷，下水气。煎膏，续筋骨，长肉，止痛。○枝煎汁，消食。〔别录云〕枝浓煎汁，祛黄疸。

合治 枝合盐浆，水煎含，疗牙齿疼痛。

解 服金石药人发大热闷。

木之木

# 楝实

有小毒　附根皮　植生

楝实出神农本经。主温疾伤寒，大热烦狂，杀三虫，疥疡，利小便水道。以上朱字神农本经。**根，微寒，疗蛔虫，利大肠。**以上黑字名医所录。

名 金铃子、苦楝子。

苗〔图经曰〕楝实即金铃子也。木高丈余，叶密如槐而长，三四月开花，红紫色，芬香满庭。实如弹丸，生青熟黄，俗间谓之苦楝子。此有两种，有雄有雌。雄者根赤无子，有大毒，服之使人吐不能止，时有至死者。雌者根白有子，微毒，用之当取雌者为佳。〔陶隐居云〕俗人以五月五日皆取叶佩之，以辟恶。

地〔图经曰〕生荆山山谷，今处处有之。〔道地〕蜀川、简州、梓州。

时〔生〕春生叶。〔采〕十二月取实，根取无时。

收 晒干。

用 实、根。

质 类弹丸，干而皮皺。

色 生青，熟黄。

味 苦。

性 寒，泄。

气 味厚于气，阴也。

臭 微香。

主 杀三虫，利水道。

制 凡采得后晒干，酒拌浸令湿，蒸待上皮软，剥去皮，取肉去核，勿单用。其核碎捶，用浆水煮一伏时了用。如使肉即不使核，使核即不使肉。

治〔疗〕〔药性论云〕中大热狂，失心躁闷，作汤浴。〔日华子云〕皮，治游风热毒，风疹恶疮，疥癞，小儿壮热，并煎汤浸洗。〔别录云〕蛔虫咬心，苦楝皮煎汤服之。

合治 根煎汁合米煮粥，作糜食之，去蛔虫。○根合苦酒磨，涂疥。

禁 雄楝不结子者不可服，服之令人吐泻，杀人。

# 椿木叶

有毒　植生

椿木叶主洗疮疥，风疽，水煮叶汁用之。○皮，主疳䘌。名医所录。

**名** 猪椿、凤眼草。

**苗** 〔谨按〕木高四五丈，形干类樗，但樗木疏而气臭，其椿木结实，叶香可啖。叶似桃叶，一枝数叶，两两相对，其茎自脱，茎端似马蹄。初春生芽。人采煮以入茶，甚美。春末开淡黄花，至夏作荚成穗，似凤眼，故名凤眼草。随风飘落，著处便生。此木耐久，庄子所谓椿寿八千是也。

**地** 〔图经曰〕旧不载所出州土，今南北皆有之。

**时** 〔生〕初春生芽。〔采〕冬取根皮。

**收** 阴干。

**用** 叶、根皮。

**质** 类樗木。

**色** 叶青，根皮白。

**味** 苦。

**性** 温，泄。

**气** 气厚于味，阳中之阴。

**臭** 香。

**主** 女子血崩，小儿疳痢。

**制** 〔雷公云〕椿木根及茎、叶，凡使不以向西者用。根采出，拌生葱蒸半日，去生葱，细剉，用袋盛挂屋南畔，阴干用。

**治** 〔疗〕〔孟诜云〕东引根水煮服，止女子血崩，及产后血不止，月信来多，亦止赤带下。〔别录云〕皮为末，米饮下，疗脏毒，赤白痢。

**合治** 叶合楸桃叶心取汁，傅小儿白秃疮，发不生。

**禁** 动风，熏十二经脉、五脏六腑，多食令人神昏，血气衰。

○ 木之木

# 欓木

有小毒　植生

欓木皮主赤白久痢，口鼻中疳虫，去疥䘌，鬼疰，传尸，蛊毒，下血。○根皮，去鬼气。名医所录。

**名** 山樗、鬼目、虎眼。

**苗** 〔图经曰〕形干类椿，但椿木结实，叶香可啖，其樗木疏而气臭。北人呼樗为山椿，江东人呼为鬼目，因叶脱处有痕如樗蒲子，又如眼目，故名之。其木最为无用。庄子所谓吾有大木，人谓之樗。其本拥肿，不中绳墨。小枝曲拳，不中规矩。立于道途，匠者不顾。根、叶入药尤良。

**地** 〔图经曰〕旧不载所出州土，今南北皆有之。

**时** 〔生〕春生叶。〔采〕夏取叶，冬取根。

**收** 阴干。

**用** 皮、叶、根皮。

**质** 类椿木。

**色** 木青白，根皮白。

**味** 苦。

**性** 微热。

**气** 气厚于味，阳中之阴。

**臭** 臭。

**主** 赤白痢。

**制** 剉碎，蜜炙用。

**治** 〔疗〕〔药性论云〕白皮，治肠滑，痔疾，泻血不住。〔日华子云〕止泻及肠风，能缩小便。

**合治** 合地榆，疗疳痢。〇根煮汁合仓粳米、葱、豉、甘草，煎服，疗下血及小儿疳痢。〇根捣筛，合面捻如皂荚子大，水煮，空心服十枚，治秋后痢或水谷痢兼腰痛。

○ 木之木

# 郁李仁

无毒　附根　植生

郁李仁出神农本经。主大腹水肿，面目四肢浮肿，利小便水道。○根凉，主齿龈[1]肿，齲[2]齿，坚齿。以上朱字神农本经。去白虫。以上黑字名医所录。

① 龈：原作“断”，据科本改。
② 齲：原注“丘禹切”。

名 爵李、车下李、棣、奥李、雀梅。

苗〔图经曰〕木高五六尺，枝条、叶、花皆若李，惟子小若樱桃，赤色，核随子熟，采根并实，取核中仁用。《诗》云：唐棣之华。陆机《草木疏》云：唐棣即奥李也，亦曰车下李，所在山中皆有。其华或白或赤，六月中成实如李子，可食。今近京人家园圃植一种，枝茎作长条，花极繁密而多叶，亦谓之郁李，不堪入药。

地〔图经曰〕生高山川谷及丘陵上，今处处有之。〔道地〕隰州。

时〔生〕春生叶。〔采〕五月、六月取实。

收 晒干。

用 仁、根。

质 类樱桃仁。

色 赤。

味 酸。

性 平。

气 味厚于气，阴中之阳。

臭 香。

主 破血，润燥。

制〔雷公云〕凡使，先汤浸去皮尖令净，用生蜜浸一宿，漉出阴干，研如膏用。

治〔疗〕〔药性论云〕主肠中结气，关格不通。○根，治齿痛，宣结气，破结聚。〔日华子云〕通泄五脏，膀胱急痛，宣腰胯冷脓，消宿食，下气。○根，疗小儿热发，作汤浴。风蚛牙，浓煎含之。〔别录云〕小儿多热不痊，熟汤研仁如杏酪，日一服。

○ 木之木

# 莽草

有毒　植生

莽草出神农本经。主风头，痈肿，乳痈，疝瘕，除结气，疥瘙，杀虫鱼。以上朱字神农本经。疗喉痹不通，乳难，头风痒。可用沐，勿令入眼。以上黑字名医所录。

名 葞、春草、菵[1]草、芒草。

苗〔图经曰〕木若石南而叶稀，无花实。一说藤生，绕木石间。古方治风毒厥痹诸酒，皆用菵草。今医家取叶煎含治齿疾者，此木叶也。观此二物，体疗殊别。今按《衍义》曰：莽草，今人呼为菵草，《本经》一名春草，诸家皆为草，今居木部，《图经》亦然。今世所用者皆木叶也，如石南，枝梗干则绉，揉之，其臭如椒。《尔雅·释草》云：葞，春草。释曰：今莽草也，与《本经》合，今当具言之。石南条中陶隐居云：似菵草，凌冬不凋，诚木无疑。〔陶隐居云〕捣叶和米，内水中，鱼吞即死浮出，人取食之亦无妨也。

地〔图经曰〕出上谷山谷及冤句，今南中州郡皆有之。〔道地〕蜀州、福州。

时〔生〕春生新叶。〔采〕

① 菵：原注“音罔”。

五月、七月取叶。

收 阴干。

用 叶，青新烈者良。

质 类石南叶。

色 青。

味 辛、苦。

性 温。

气 气厚味薄，阳中之阴。

臭 香。

主 痈肿，杀虫。

制 凡使，取叶细剉，生甘草、水蓼二味并细剉之，用生稀绢袋盛毒木叶于甑中，上甘草、水蓼同蒸一日，去诸药，二件取出，晒干用之。勿用尖有孪[①]生者。

治 〔疗〕〔药性论云〕治疽疝气，肿坠凝血，及瘰疬。除湿风并头疮，白秃，杀虫，不入汤服。〔日华子云〕皮肤麻痹，浓煎汤淋。及风蚛牙痛，喉痹，浓煎汁含之，吐去后净嗽口。

合治 为末，合白蔹、赤小豆，用鸡子白调如糊，傅[②]毒肿，干即易之。○末合鸡子白调，摊帛上，贴瘰疬发肿，坚结成核，日二易之。

---

① 孪：原注“音涮”。

② 傅：原作“熥”，据印本改。

# 无食子

无毒　植生

无食子主赤白痢，肠滑，生肌肉。名医所录。

名 没食子、墨食子、没石子。

苗〔唐本注云〕生沙碛间者，树似柽。又按《酉阳杂俎》云：树高六七丈，围八九尺，叶似桃而长，三月开花，白色，心微红，子圆如弹丸，初青，熟乃黄白。虫蚀成孔者入药用。此波斯呼为摩贼树者是也。其树一年生无食子，一年生跋屡，大如指，长三寸，上有壳，中仁如粟黄，可啖也。〔海药云〕波斯每食以代果，番胡呼为没食子，今人呼为墨食子，则音转相谬矣。

地〔图经曰〕出西戎。〔唐本注云〕波斯国。

时〔生〕春生叶。〔采〕熟时取子。

收 日干。

用 子。

质 类弹丸而有大小。

色 黄黑。

味 苦。

性 温，泄。

气 气厚于味，阳中之阴。

臭 香。

主 赤白痢，乌髭发。

制〔雷公云〕凡用，勿令犯铜铁，并被火惊者妙。用浆水于砂盆中或硬青石上，研令尽，却，焙干，研细用。

治〔疗〕〔唐本注云〕治儿疳䘌阴汗，温中和气。〔药性论云〕大人、小儿大腹冷，滑痢不禁并治之。〔补〕〔别录云〕益血生精，乌髭发，和胃安神。

○ 木之走

# 黄药根

无毒　蔓生

黄药根主诸恶肿，疮瘘，喉痹，蛇犬咬毒，取根研服之，亦含亦涂。名医所录。

**苗**〔图经曰〕藤生，高三四尺，根及茎似小桑，秦州出者谓之红药子。叶似荞麦，枝茎赤色，七月开白花，其根初采湿时红赤色，暴干即黄。开州兴元府又产一种苦药子，大抵与黄药相类。

**地**〔图经曰〕生岭南，今夔、峡州郡及明、越、秦、陇州山中亦有之。〔道地〕明州、秦州、施州、兴元府、忠万州者为胜。

**时**〔生〕春生叶。〔采〕二三月、十月取根。

**收** 暴干。

**用** 根。

质 类天花粉，黄而有毛。

色 黄。

味 苦。

性 平，泄。

气 味厚于气，阴中之阳。

臭 朽。

主 疮瘘，喉痹。

制 以水洗去粗皮、细毛，剉碎用。

治〔疗〕〔日华子云〕主马诸病。〔图经曰〕苦药，主五脏邪气，肺热，除烦躁，亦入马药用。〔别录云〕鼻衄出血，新汲水磨浓汁服。亦傅疥疮。

合治 合酒贮瓶内封口，糠火中烧一伏时，待冷，时时饮一盏，疗瘿疾一二年者。

○ 木之木

# 雷丸

有小毒　土生

雷丸出神农本经。主杀三虫，逐毒气，胃中热，利丈夫，不利女子。作摩膏，除小儿百病。以上朱字神农本经。

**逐邪气恶风汗出，除皮中热，结积，蛊毒，白虫，寸白自出不止。**

以上黑字名医所录。

**名** 雷矢、雷实。

**苗** 〔陶隐居云〕累累相连如丸，肉色白者善。〔唐本注云〕竹之苓也，无有苗蔓，皆零无相连者。《本经》云：利丈夫，不利女子。《别录》云：久服令人阴痿。二说相反。按此则疏利男子元气，不疏利女了脏气，其义显矣。

**地** 〔图经曰〕生石城山谷及汉中土中。〔陶隐居云〕今出建平、宜都间。〔唐本注云〕出房州、金州。

**时** 〔生〕无时。〔采〕八月取。

**收** 暴干。

**用** 肉，白者良。

**质** 类大风子而有大小。

**色** 皮赤黑，肉白。

**味** 苦、咸。

**性** 寒，泄。

**气** 味厚于气，阴也。

**臭** 朽。

**主** 杀虫去积。

**助** 荔实、厚朴为之使。

**反** 恶葛根。

**制** 〔雷公云〕凡使，用甘草水浸一宿，铜刀刮上黑皮，破作四五片，又用甘草汤浸一宿，后蒸从巳至未，出，日干，却，以酒拌如前，从巳至未蒸，日干用。一云，入药炮用。

**合治** 合芫花，疗癫痫，狂走。

○ 木之木

# 槲若

无毒　附皮　植生

槲[1]若主痔，止血，疗血痢，止渴，取服炙用之。○皮，味苦，水煎浓汁，除蛊及瘘。俗用甚效。名医所录。

① 槲：原注“音斛”。

苗〔图经曰〕木高丈余，若即叶也，与栎相类，亦有斗，但小不中用尔。

地〔图经曰〕旧本不载所出州土，今处处山林多有之。

时〔生〕春生叶。〔采〕不拘时取叶。

收 日干。

用 叶、皮。

质 类栎叶。

色 青。

味 甘、苦。

性 平，泄。

气 气之薄者，阳中之阴。

臭 朽。

主 诸痔，血痢。

制 摘去梗，微炙，剉碎或捣末用之。

治〔疗〕〔别录云〕小儿小便淋，煎汤服。〔药性论云〕皮，洗诸恶疮。〔日华子云〕皮，能吐瘰疬，涩五脏。

合治 合葱白煎服，疗冷淋，小肠不利，茎中急痛。○皮合榉煮汁如饴，治毒攻下部生疮。

○ 木之木

# 白杨树皮[1]

无毒　植生

白杨树皮主毒风脚气肿，四肢缓弱不随，毒气游易[2]在皮肤中，痰癖等。酒渍服之。

名医所录。

① 树皮：原无，据正文药名补。
② 易：原注"音翼"。

**苗**〔图经曰〕株大似杨而皮白，叶圆如梨。〔衍义曰〕此木易生，斫木时碎札入土，即生根芽，故易于繁植。其叶面青光背白，木身微白，故曰白杨，非如粉之白也。

**地**〔图经曰〕生北土，今处处有之。陕西及永、耀间甚多。

**时**〔生〕春生叶。〔采〕无时。

**收** 日干。

**用** 皮。

**质** 类椿树皮而厚。

**色** 白。

**味** 苦。

**性** 泄。

**气** 味厚于气，阴也。

**臭** 朽。

**主** 皮肤风痒，四肢缓弱。

**制**〔雷公云〕凡使，以铜刀刮粗皮，蒸从巳至未，出，用布袋盛于屋东挂干用。

**治**〔疗〕〔陈藏器云〕去风痹，宿血，折伤，血沥在骨肉间，痛不可忍。〔日华子云〕续筋骨。

**合治** 合酒，疗扑损瘀血。

○ 木之木

# 桄榔子

无毒　植生

桄榔子主宿血。名医所录。

苗〔图经曰〕其木似栟榈而坚硬，斫其间有面，大者至数斛，食之不饥。其皮至柔坚韧可作绠，其子作穗生木端。《岭表录异》云：桄榔木，枝叶并茂，与枣、槟榔等小异。然叶下有须如粗马尾，广人采之，以织巾子，其须尤宜。咸水浸渍即粗胀而柔韧，故人以此缚舶，不用钉线。木性如竹，紫黑色，有纹理，工人解之，以制博弈局。其木作鎼[①]锄，利如铁，中石更利，惟中蕉、椰乃致败耳。

地〔图经曰〕生岭南山谷，今二广州郡皆有之。

时〔生〕春生叶。〔采〕无时。

收 日干。

用 面、子。

质 类槟榔而小。

色 紫红。

味 苦。

性 平，泄。

气 味厚于气，阴中之阳。

臭 朽。

主 宿血。

制 剉碎用。

治〔补〕〔别录云〕面，益虚羸乏损，腰脚无力。久服轻身，辟谷。

---

① 鎼：原注“营历切”。

# 苏方木

无毒　植生

苏方木主破血，产后血胀闷欲死者，水煮。苦酒煮五两，取浓汁服之，效。名医所录。

**苗**〔唐本注云〕树似菴罗，叶若榆叶而无涩，抽条长丈许，花黄，子生青熟黑。叶亦似绛木，若女桢也。〔雷公云〕有中心纹横，如紫角者，号曰木中尊色，其效倍常百等。

**地**〔唐本注云〕出海南、昆仑及交州、爱州。

**时**〔生〕春生叶。〔采〕无时。

**用**木。

**色**赤。

**味**甘、咸。

**性**平，缓。

**气**气薄味厚，阳中之阴。

**臭**香。

**主**破蓄[①]血，消痈肿。

**制**〔雷公云〕凡使，去粗皮并节，细剉重捣，拌细条梅枝蒸，从巳至申，取出，阴干用或酒浸用。

**治**〔疗〕〔陈藏器云〕治霍乱，呕吐。〔日华子云〕治妇人血气，心腹痛，月候不调及蓐劳，排脓止痛，消痈肿，扑损，瘀血，女人失音，血噤，赤白痢，后分急痛。〔别录云〕治血晕。

**合治**合酒煮服，破血。○合酒煎，调乳香末服，治血癖，气壅滞，产后恶露冲心，腹中搅痛及经络不通。

① 蓄：原作“畜”，据文理改。

○ 木之走

# 榉树皮

无毒　附叶、山榉树皮

植生

榉树皮主时行头痛，热结在肠胃。名医所录。

苗〔唐本注云〕树大者连抱，高及数仞，其皮极粗，叶似樗叶狭而长。〔雷公云〕三四年者无力。用二十年以上者，其树心空，只有半边，向西生者为佳。〔衍义曰〕今人呼为榉柳，其叶谓柳非柳，谓槐非槐，木虽高大不堪为器，乃下材也。湖南北最多，取其嫩皮，可缘栲栳与箕唇者是也。

地〔唐本注云〕生溪涧水侧，所在皆有之。

时〔生〕春生叶。〔采〕无时。

收 日干。

用 皮、叶。

质 类樗木而粗厚。

色 青绿。

味 苦。

性 大寒，泄。

气 味厚于气，阴也。

臭 香。

主 止热痢，下水气。

制〔雷公云〕凡使，去上粗皮，细剉，蒸从巳至未，出，焙干用。榉牛凡采得，用铜刀取作两片，去两翅，用纸袋盛于舍东挂，待干用。

治〔疗〕〔唐本注云〕疗水及断痢。○叶，挼贴火烂疮。〔日华子云〕下水气，止热痢，安胎，妊娠腹痛，及热毒，风熁肿毒。

合治 叶合盐捣，罯肿烂恶疮。

○ 木之木

# 桐叶

无毒　附花、皮、油

植生

桐叶出神农本经。主恶蚀疮著阴。○皮，主五痔，杀三虫。○花，主傅猪疮，饲猪肥大三倍。以上朱字神农本经。

**皮，疗奔豚气病。**以上黑字名医所录。

名 白桐、青桐、冈桐、花桐、荣桐、椅桐、桐木、黄桐、梧桐、榇、油桐。

苗〔图经曰〕桐有三种，白桐二月开黄紫花，不结实，冬生似子者乃是明年之花房也。其木无子，材堪琴瑟，药中所用花、叶者此也。《尔雅》云：荣桐，因其花而不实之谓，亦谓之花桐。一种皮青，枝上橐鄂有五，其子缀于橐鄂之傍者，曰梧桐，亦谓之青桐。炒其实啖之，味似菱芡。复有冈桐，生于高冈，故曰冈桐。盖桐性便湿，不生于冈，此种故有冈桐之号。其子大而油多，亦曰油桐也。或曰：梧桐以知日月正闰，生十二叶，一边有六叶，从下數一叶为一月，有闰则生十三叶，视叶小者则知闰何月也。故曰：梧桐不生则九州异，故名之曰桐。亦犹蓂荚，十五以知朔望之义也。

地〔图经曰〕生桐柏山谷，今处处有之。

**时**〔生〕春舒叶。〔采〕秋前取。

**收**阴干。

**用**叶、皮、花。

**质**类梓树叶而大。

**色**青。

**味**苦。

**性**寒，泄。

**气**味厚于气，阴也。

**臭**朽。

**主**恶蚀疮。

**制**凡使，剉碎用。

**治**〔疗〕〔图经曰〕刺桐，止金疮血。梧桐白皮，主痔。〔药性论云〕白桐皮，治五淋。沐发，去头风及生发滋润。〔日华子云〕桐油，傅恶疮疥及宣水肿。涂鼠咬患处。

○ 木之草

# 胡椒

无毒　植生

胡椒主下气，温中，去痰，除脏腑中风冷。

名医所录。

名 味履支。

苗〔段成式《酉阳杂俎》云〕春夏生叶，青滑可爱，茎极柔弱，有细条与叶齐，条上结子如鼠李子，两两相对，叶晨开，暮合则裹其子于叶中。又似汉椒至辛辣，今作胡盘，肉食皆用之。

地〔图经曰〕生西戎。〔海药云〕出南海诸国。〔别录云〕摩伽陀国。

时〔生〕春生叶。〔采〕六月取实。

收 日干。

用 子。

质 类鼠李子。

色 黑褐。

味 辛。

性 大温，散。

气 气之厚者，阳也。

臭 香。

主 霍乱，腹痛，冷气上冲。

制〔雷公云〕凡使，拣净，于石槽中碾碎成粉用。

治〔疗〕〔日华子云〕调五脏，止霍乱，心腹冷痛，壮肾气，及冷痢。〔别录云〕去胃口气虚冷，宿食不消，冷气上冲及胃中寒痰，食已即吐。

禁 多食损肺。

解 杀一切鱼、肉、鳖、蕈毒。

○ 木之木

# 钓樟根皮

无毒　附樟材　植生

钓樟[1]根皮主金疮，止血。名医所录。

① 樟：原注“音章”。

名 乌樟。

苗 〔唐本注云〕树高丈余，叶似楠[1]叶而尖长，背有赤毛若枇杷叶。县名豫章，因木而为名也。

地 〔唐本注云〕生郴州山谷及出桂阳、邵陵，诸处皆有之。

时 〔生〕春生叶。〔采〕八九月取根皮。

收 日干。

用 根皮。

质 根似乌药。

色 青褐。

味 辛。

性 温，散。

气 气厚于味，阳也。

臭 微香。

主 金疮。

制 细剉，或为末用。

治 〔疗〕〔陶隐居云〕能合金疮，断血。〔日华子云〕治奔豚，脚气水肿，及洗诸疮痍，风瘙疥癣。

合治 樟材煮酒，疗恶气，中恶，心腹痛，鬼疰，霍乱，腹胀，宿食不消，常吐酸臭水。

① 楠：原注“音南”。

# 千金藤

无毒 蔓生

千金藤主一切血毒，诸气，霍乱，中恶天行，虚劳疟痹，痰嗽不利，痈肿，蛇、犬毒，药石发癫痫，悉主之。

名医所录。

名 古藤、石黄香。

苗〔陈藏器云〕有数种，南北名模不同，大略主疾相似，或是皆近于藤。生北地者，根大如指，色黑似漆；生南土者，黄赤如细辛。舒庐间有一种藤，似木蓼。又有乌虎藤，绕树，冬青，亦名千金藤。又江西山林间有草，生叶，头有瘿子似鹤膝，叶如柳，亦名千金藤。似荷叶，只钱许大，亦呼为千金藤。故千金者，以贵为名尔。

地〔图经曰〕生岭南山野间，及北地亦有之。

时〔生〕春生叶。〔采〕无时。

收 日干。

用 藤。

质 类木蓼藤。

色 青。

味 苦。

性 平，泄。

气 味厚于气，阴也。

臭 朽。

主 一切毒风。

制 剉碎用。

治〔疗〕〔陈藏器云〕古藤，主痢及小儿大腹。〔别录云〕治蛊，痈肿发背。

解 野猪毒。

# 南烛枝叶

无毒　植生

南烛枝叶止泄，除睡，强筋，益气力。久服轻身长年，令人不饥，变白去老。○茎叶汁，浸粳米，九浸九蒸九暴，米粒紧小正黑如瑿珠。袋盛之，可适远方，日进一合，不饥，益颜色，坚筋骨，能行。名医所录。

**名** 猴药、男续、后卓、草木之王、猴菽、染菽、乌草、南烛草木、文烛、乌饭草、惟那木、牛筋、南天烛。

**苗**〔图经曰〕株高三五尺，叶类苦楝而小，凌冬不凋。冬生红子作穗，人家多植庭除间，俗谓之南天烛。捣汁炊饭食之，健如牛，故名牛筋。或云：其种是木而似草，故号南烛草木也。〔陶隐居云〕此木至难长，初生三四年，状若菘菜之属，亦颇似栀子，二三十年乃成大株，故曰木而似草也。凡有八名，各从其邦域所称，而正名是南烛也。其子似茱萸，九月熟，酸美可食。叶不相对，如茗而圆厚，味小酢，冬夏常青，枝茎微紫，大者亦高四五丈，甚肥脆，易摧折也。

**地**〔图经曰〕生江东州郡及嵩高，少室、抱犊、鸡头山、江左、吴越皆有之。〔道地〕江州。

**时**〔生〕春生新叶。〔采〕春夏取枝叶，秋冬取根皮。

**收** 日干。

**用** 枝叶。

**质** 类苦楝而小。

**色** 青。

**味** 苦。

**性** 平，泄。

**气** 味厚于气，阴也。

**臭** 香。

**主** 强筋益气。

**制** 蒸过晒干，或捣汁用。

**治**〔疗〕〔日华子云〕益肠胃。

# 无患子皮

有小毒　植生

无患子皮主浣垢，去面皯。喉痹，研，内喉中，立开。又主飞尸。子中仁，烧令香，辟恶气。其子如漆珠。名医所录。

名 噤娄、桓。

苗 〔陈藏器云〕树大，生深山，名桓。桓，患字声讹也。《博物志》云：叶似柳，子核坚正黑，可作香缨，用辟恶气，浣垢。《古今注》云：程稚问，木曰无患，何也？答曰：昔有神巫曰瑶眊，能符刻百鬼，擒鬼则以此木为棒杀之。世人相传，以此木为众鬼所恶，竞取为器，用以厌鬼，故号无患。〔衍义曰〕无患子，今释子取以为念珠，出佛经，惟取紫红色小者佳，今入药绝少。〔谨按〕旧本不载所出州土，博询所自于广东。监生戴志在京历事备云：无患子木生广州府山谷间，及人家园圃中有之。木高四五丈，径二三尺许，其皮黄白色，叶如柳叶而大，两两相对，初夏开黄白碎花，至秋结实。外皮如龙眼，肉生青熟紫，光亮如胶可爱，干则纹皱若枣。核亦似龙眼核而紫黑，核中仁如茨实。土人呼为没患子，盥手去垢尤胜皂角。据其所说，吻合本文，故并载之。

地 〔陈藏器云〕生深山。〔衍义曰〕西洛亦有之。

时 〔生〕春生叶。〔采〕无时。

收 阴干。

用 皮、子。

色 皮青，子黑。

性 平。

气 气之薄者，阳中之阴。

主 喉痹，辟邪。

○ 木之木

# 梓白皮

无毒　附叶　植生

梓白皮出神农本经。主热，去三虫。○叶，捣傅猪疮。饲猪肥大三倍。以上朱字神农本经。皮，疗目中疾。以上黑字名医所录。

**名** 椅梓、鼠梓、虎梓、楰、楸。

**苗**〔图经曰〕木似桐而叶小，花紫。《尔雅》云：椅梓。郭璞注云：即楸也。《诗·鄘风》云：椅桐梓漆。陆机云：梓者，楸之疏理白色而生子者为梓，梓实桐皮曰椅，大同而小别也。又一种鼠梓，一名楰，亦楸之属也。江东人谓之虎梓。《诗·小雅》云：北山有楰。陆机云：其枝叶木理如楸，而山楸之异者，今人谓之苦楸是也。鼠李名鼠梓，或云即此也。然鼠花之实都不相类，恐别一物而名同耳。梓之入药，当用有子者。〔日华子云〕梓树皮有数般，惟楸梓佳，余不堪用。

**地**〔图经曰〕生河内山谷，今近道皆有之。

**时**〔生〕春生叶。〔采〕无时。

**收** 日干。

**用** 皮、叶。

**色** 青绿。

**味** 苦。

**性** 寒。

**气** 味厚于气，阴也。

**臭** 朽。

**主** 洗疮疥，去三虫。

**制** 剉碎或捣用。

**治**〔疗〕〔图经曰〕疗毒肿。〔唐本注云〕止吐逆胃反，小儿热疮，身头热烦，蚀疮。〇叶，主火烂疮。〔萧炳云〕洗小儿壮热，一切疮疥，皮肤瘙痒。

# 橡实

无毒　附实、皮、壳

植生

橡实主下痢，厚肠胃，肥健人。其壳为散及煮汁服，亦主痢。并堪染用。槲栎皆有斗，以栎为胜。名医所录。

名 杼斗。

苗〔图经曰〕橡实，栎木子也。木高四五丈，叶如栗叶，三四月开黄花，八九月结实。其实为皂斗，槲、栎皆有斗，而以栎为胜。《尔雅》云：栎其实梂。释曰：栎，似樗之木也；梂，盛实之房也。其实橡也，有梂汇自裹。《诗·秦风》云：山有苞栎。陆机云：秦人谓柞栎为栎。《唐风》云：集于苞栩。陆机云：今柞栎也，徐州人谓栎为杼，或谓之栩。今京洛及河内谓栎亦为杼，五方通语也。然则柞栎也，杼也，栩也，皆橡栎之通名也。〔衍义曰〕木坚而不堪充材，亦木之性也。其实山中以桩仁为粮，木善为炭，他木皆不及。其壳堪染皂，若曾经雨水者，其色淡，不若不经雨水者。槲亦有壳，但少而不及栎木所实者。

地〔图经曰〕所在山谷中皆有之。

时〔生〕三四月开花，八九月结实。〔采〕十月取实，不拘时取皮。

收 暴干。

用 实、皮、壳。

质 类榛子，皮薄而光大。

色 淡黄。

味 苦。

性 微温，泄。

气 气厚于味，阳中之阴。

臭 微香。

主 涩肠止痢。

制〔雷公云〕凡使，去粗皮一重，取橡实蒸，从巳至未，剉片用。壳捣，炒焦用。

治〔疗〕〔日华子云〕皮，治水痢，消瘰疬，除恶疮。○壳，止肠风，崩中带下，冷热泻痢，并染须发。〔别录云〕消食。〔补〕〔日华子云〕煮食可止饥，御歉岁。〔别录云〕非果非谷，最益人。服食亦能断谷，无气而受气，无味而受味，令人强健。

禁 不宜多食。

○ 木之木

# 石南

无毒　附实　植生

石南出神农本经。主养肾气，内伤阴衰，利筋骨皮毛。○实，杀蛊毒，破积聚，逐风痹。以上朱字神农本经。

**疗脚弱，五脏邪气，除热。女子不可久服，令思男。**以上黑字名医所录。

名 鬼目[1]。

苗 〔图经曰〕石南生于石上，株极有高大者。江湖间出者，叶如枇杷叶，有小刺，凌冬不凋，春生白花成簇，秋结细红实。关陇间出者，叶似莽草，青黄色，背有紫点。雨多则并生，长及二三寸，根横细紫色，无花实，叶至茂密。南北人多移植亭宇间，阴翳可爱，不透日气。〔衍义曰〕叶如枇杷叶之小者，但背无毛，光而不皱。正二月间开花，冬有二叶为花苞，苞既开，中有十五余花，大小如椿花，甚细碎，每一苞约弹许大成一球，一花六叶，一朵有七八球，淡白绿色，叶末微淡赤色。花既开，蕊满花，但见蕊，不见花。花才罢，去年绿叶尽脱落，渐生新叶。但京洛、河北、河东、山东颇少，人故少用。湖南北、江东西、二浙甚多，故多用南实。今医家绝可用。

地 〔图经曰〕生华阴山谷，今南北皆有之。〔道地〕道州、关中者良。

时 〔生〕正月。〔采〕二月、四月取叶，八月取实。

收 阴干。

用 叶、实。

质 类枇杷叶而小，背光不皱。

色 青。

味 辛、苦。

性 平，散。

气 气之薄者，阳中之阴。

臭 朽。

---

① 鬼目：原注“实名”。

主 强阴道，利筋骨。

助 五加皮为之使。

反 恶小蓟。

制 剉碎用。

治 〔疗〕〔唐本注云〕疗风邪。〔药性论云〕治软脚，烦闷疼。〔补〕〔药性论云〕益肾气。

禁 多服令人阴痿。

赝 石韦为伪。

# 木天蓼

有小毒　附子，无毒

植生

木天蓼主癥结积聚，风劳虚冷。名医所录。

苗〔图经曰〕木高二三丈，三月、四月开花，似柘花。子作球形如茼，其球子可藏作果啖之。〔唐本注云〕出安州、申州。有作蔓生者，乃藤天蓼也。叶似柘，光而薄，花白，子如枣许无定形，中瓤似茄子，味辛甘，啖之以当姜蓼。其苗藤切，以酒浸服，或以酿酒，去风冷癥瓣，腰脚疼冷大效。然则天蓼有三种，虽其状不同，而体疗甚相似也。陈藏器云：木天蓼，今时所用者出凤州深山，树高如冬青，不凋。山人云：多服损寿，以其逐风损气故也。不当以藤天蓼为注，既云木蓼，岂更藤生？盖自有藤蓼，不复疑矣。

地〔图经曰〕生山谷中。〔陈藏器云〕凤州。〔道地〕信阳军。

时〔生〕春生新叶。〔采〕五月取子，不拘时取茎。

收 日干。

用 茎、子。

色 青绿。

味 苦、辛。

性 温，散。

气 气厚味薄，阳中之阴。

臭 微香。

主 虚冷积聚。

制 细剉用。

治〔疗〕〔药性论云〕中贼风，口面㖞斜，及冷痃癖气块，女子虚劳，以此主之。

合治 木天蓼一斤，合好酒一斗，以生绢袋盛浸之，春夏一七，秋冬二七。治风，立有奇效。

禁 多服损寿，损气。

# 黄环

有毒　蔓生

黄环主蛊毒，鬼疰，鬼魅，邪气在脏中，除咳逆寒热。神农本经。

名 凌泉、大就。

苗〔唐本注云〕藤生，根亦葛类，襄阳、巴西人谓之就葛。其子作角生，似皂荚，花、实与葛同时矣。今园庭种之，大者茎径六七寸，谓其子名狼跋子。今太常科剑南来者，乃鸡屎，葛根非也。或云：似防己，作车辐解者，近之人取葛根，误得食之吐痢不止，用土浆解之乃瘥。此真黄环也。《本经》用根，今云是大戟花者，非黄环也。

地〔图经曰〕生蜀郡山谷。〔唐本注云〕惟襄阳、巴西所在有之。

时〔生〕春生叶。〔采〕三月取根。

收 阴干。

用 根。

质 类葛。

色 皮褐，肉白。

味 苦。

性 平，泄。

气 味厚于气，阴中之阳。

臭 朽。

主 止咳逆，除邪气。

助 鸢尾为之使。

反 恶茯苓、防己。

制 剉碎用。

治〔疗〕〔药性论云〕治上气急、寒热及百邪。

# 溲疏

无毒　植生

溲[1]疏出神农本经。主身、皮肤中热，除邪气，止遗溺。可作浴汤。以上朱字神农本经。通利水道，除胃中热，下气。以上黑字名医所录。

① 溲：原注“音搜”。

名 巨骨。

苗 〔唐本注云〕树高丈余，形似空疏，中空。皮白，有刺，其子八九月熟，色赤，似枸杞子，两两相对。但空疏有荚，与此不同尔。

地 〔图经曰〕生熊耳川谷及田野故丘墟地。

时 〔生〕春生叶。〔采〕八九月取实。

收 阴干。

用 实。

色 赤。

味 辛、苦。

性 寒，泄。

气 气薄味厚，阴中之阳。

臭 朽。

主 利水，除热。

助 漏芦为之使。

制 捣碎用。

# 鼠李

无毒　植生

鼠李出神农本经。主寒热，瘰疬，疮。以上朱字神农本经。皮，苦，微寒，主除身皮热毒。以上黑字名医所录。

名 牛李、鼠梓、椑[1]、赵李、皂李。〔木〕乌槎树。

苗〔图经曰〕鼠李即乌巢子也。枝叶如李，实若五味子，色鋻黑，其汁则紫色也。〔衍义曰〕木高七八尺，叶如李，但狭而不泽，子于条上四边生，熟则紫黑，生则青色，叶至秋则落，其子尚在枝。是处皆有之，故《经》不言所出处。皮与子两用。

地〔图经曰〕生田野，今关陕及湖南、江南北甚多。〔道地〕蜀州。

时〔生〕春生叶。〔采〕实熟时取，不拘时取皮。

收 日干。

用 实、皮。

质 类五味子而大。

色 黑。

味 甘。

性 凉，缓。

气 气之薄者，阳中之阴。

臭 朽。

主 杀虫消毒。

制 子，酒渍九蒸，日干，捣碎用。

治〔疗〕〔日华子云〕消水肿。○皮，除风痹。〔唐本注云〕皮，疗诸疮，寒热毒痹。〔别录云〕消腹胀满。

合治 子，九蒸。酒渍服，能下血，除疝瘕积冷气。

---

① 椑：原注“音卑”。

# 枳椇

无毒　植生

枳[1]椇[2]主头风，小腹拘急。其木皮温，无毒，主五痔，和五脏。名医所录。

① 枳：原注“音止”。
② 椇：原注“音矩”。

名〔实〕木蜜。〔木〕白石。

苗〔图经曰〕木大径尺，叶如桑、柘叶，其子作房似珊瑚，核在其端，人多食之。即《诗·小雅》所谓南山有枸是也。陆机云：枸，枝枸也，木似白杨。枝枸不直，其实八九月熟，啖之甘美如饴，谓之木蜜。本从南方来，其木能败酒。若以木为屋，屋中酒则味薄，此亦奇物也。

地〔图经曰〕生江南，所在山中皆有之。

时〔生〕春生叶。〔采〕八九月取实，不拘时取皮。

收 盐荷裹一冬储备。

用 实。

质 类珊瑚子。

色 红。

味 甘。

性 平，缓。

气 气之薄者，阳中之阴。

臭 朽。

制 捣碎用。

忌 多食，发蛔虫。

# 小天蓼

无毒　植生

小天蓼主一切风虚羸冷，手足疼痹。无论老幼轻重，浸酒及煮汁服之，十许日觉皮肤间风出如虫行。名医所录。

苗〔图经曰〕树如栀子，经冬不凋，野兽多食之。然天蓼有三种，俱能逐风，其中优劣，小者最为胜也。

地〔图经曰〕生天目山、四明山。

时〔生〕经冬不凋。〔采〕无时。

收 日干。

用 茎。

色 绿。

味 甘。

性 温，缓。

气 气之厚者，阳也。

臭 朽。

主 诸风虚冷。

制 细剉，或煮汁用。

# 小檗

无毒　植生

小檗主口疮，疳䘌，杀诸虫，去心腹中热气。名医所录。

**名** 山石榴。

**苗** 〔唐本注云〕其树枝叶与石榴无别，但花异，子细黑圆如牛李子。一种皮白，叶多刺者，乃太常所贮，名曰刺檗，非小檗也。陈藏器云：凡檗皆皮黄，今既不黄，而自然非檗矣。其小檗如石榴，皮黄，子赤如枸杞子，两头尖。人剉枝以染黄是也。

**地** 〔图经曰〕生山石间，所在皆有之。〔道地〕襄阳岘山东者良。

**时** 〔生〕春生叶。〔采〕无时。

**收** 日干。

**用** 皮、枝。

**质** 类槐皮而薄。

**色** 黄。

**味** 苦。

**性** 大寒，泄。

**气** 味厚于气，阴也。

**臭** 朽。

**主** 口疮。

**制** 剉碎用。

# 荚蒾

无毒　植生

荚蒾[1] 主三虫，下气，消谷。名医所录。

① 蒾：原注“音迷”。

名 击迷、羿先。

苗〔唐本注云〕叶似木槿及似榆，作小树，其子如溲疏，两两相并，四四相对，而色赤，不入方用。陆机云：盖檀、榆之类也。

地〔唐本注云〕生山谷及北土山林间，所在有之。

时〔生〕春生叶。〔采〕无时。

收 日干。

用 枝。

质 类木槿。

色 青。

味 甘、苦。

性 平，泄。

气 气厚于味，阳中之阴。

臭 朽。

主 下气，消谷。

制 剉碎用。

治〔疗〕〔唐本注云〕杀蛔虫。

**一十三种陈藏器余**

**栟榈木皮**味苦、涩，平，无毒。烧作灰，主破血止血。初生子黄白色，作房如鱼子。有小毒，破血，但戟人喉，未可轻服。皮作绳，入土千岁不烂。昔有人开冢得之，索已生根。此木类，岭南有虎散、桄榔、冬叶、蒲葵、椰子、槟榔、多罗等，皆相似，各有所用。栟榈一名棕榈，即今川中棕榈。《海药》云谨按徐表《南州记》云：生岭南山谷，平，温，主金疮，疥癣，生肌，止血，并宜烧灰使用。其实黄白色，有大毒，不堪服食也。

**楸木皮**味苦，小寒，无毒。主吐逆，杀三虫及皮肤虫。煎膏，粘傅恶疮，疽瘘，痈肿疳，野鸡病，除脓血，生肌肤，长筋骨。叶，捣傅疮肿。亦煮汤，洗脓血。冬取干叶汤揉用之。《范汪方》诸肿痈溃及内有刺不出者，取楸叶十重贴之。生山谷间，亦植园林，以为材用，与梓树本同末异，若柏叶之有松身。苏敬以二木为一，误也。其分析在解纷条中矣。《图经》文具梓白皮条下。《海药》云微温，主消食，涩肠，下气及上气咳嗽，并宜入面药。《圣惠方》治头极痒，不痛，出疮，用楸叶不限多少，捣绞汁涂之，立效。又方治灸疮多时不瘥，痒痛出黄水，用楸叶或根皮捣罗为末，傅疮上即瘥。《外台秘要》疗痈肿烦困，生楸叶十重贴之，布帛裹缓急得所，日三易，止痛消肿，排[1]脓血，良无比，胜于众

---

① 排：原作“〇”，据罗马本改。又《证类本草》作“食”。

药。冬以先收干者，临时盐汤沃润用之。又主患痈破下脓讫。著瓮药塞疮孔，疮痛烦闷困极方；楸叶十重，去瓮药下贴之，以布帛裹，缓急得所，日再三易之，痛闷即止。此法大良无比，胜于众法。主痈疽溃后及冻疮，有刺不出，甚良。冬无楸叶，当早收之，临时以盐汤沃之。今择日亦佳，薄削楸白皮，用之亦得。**又方**疗口吻疮，楸枝皮白湿贴上，数易。**《千金翼》**治小儿头发不生，取楸叶中心，捣绞涂之。**《肘后方》**治瘘，煎楸枝作煎，净洗疮子孔中，大效。**《子母秘录》**治小儿头上疮，发不生，楸叶捣汁，涂疮上，发即生，兼白秃。

**没离梨**味辛，平，无毒。主上气，下食。生西南诸国。似毗梨勒上，有毛少许也。《海药》云微温。主消食，涩肠，下气及上气咳嗽。并宜入面药。

**柯树皮**味辛，平，有小毒。主大腹水病。取白皮作煎，令可丸如梧桐子大，平旦三丸，须臾又一丸。一名木奴。南人用作大舡者也。《海药》云谨按《广志》云：生广南山谷。《临海志》云：是木奴树，主乳气。搡皮以水煮，去滓，复炼，候凝结丸得为度。每朝空心饮下三丸，浮气、水肿并从小便出，故波斯家用为舡舫也。

**败扇**主蚊子。新造屋柱下四隅埋之，蚊永不入。烧为末，和粉粉身上，主汗。弥败者佳。

**櫰[1]根**一作櫰，味辛，平，小毒。主水癃。取根白皮

① 櫰：原注“去王切”。误在“根”字后，据《证类本草》改。

煮汁，服之一盏，当下水。如病已困，取根捣碎，坐其取气，水自下。又能烂人牙齿，齿有虫者，取片子许大内孔中，当自烂落。生以南山谷，高丈许，直上无枝，茎上有刺，山人折取头茹食之。亦治冷气。一名吻头。

**橉**[①] **木灰**味甘，温，小毒。主卒心腹癥瘕，坚满痃癖。烧为白灰，淋取汁，以酿酒。酒熟，渐渐从半合温服，增至一二盏，即愈。此灰入染家用。生江南深山大树。树有数种，取叶厚大白花者入药，自余用染灰。一名橝[②]灰，《本经》汗于病者床下灰之，勿令病人知也。

**楖**[③] **桐皮**味甘，温，无毒。主烂丝。叶捣封蛇、虫、蜘蛛咬。皮为末，服之亦主蚕咬毒入肉者。鸡、犬食欲死，煮汁灌之，丝烂即瘥。树似青桐，叶有椏，生山谷，人取皮以沤丝也。

**竹肉**味咸，温，有大毒。主杀三虫，毒邪气，破老血。灰汁煮三度炼讫，然后依常菜食之。炼不熟者，戟人喉出血，手爪尽脱。生苦竹枝上，如鸡子，似肉脔。应别有功，人未尽识之。一名竹实也。

**桃竹笋**味苦，有小毒。主六畜疮中蛆。捣碎内之，蛆尽出。亦如皂李，叶能杀蛆虫。南人谓之黄笋。灰汁

---

① 橉：原注“良刃切”。
② 橝：原注“音潭”。
③ 楖：原注“而郢切”。

煮可食，不尔戟人喉。其竹丛生，丑类非一。张鼎《食疗》云：慈竹，夏月逢雨，滴汁著地生，蓐似鹿角，色白，取洗之和姜、酱食之，主一切赤白痢，极验。

**罂子桐子**有大毒。压为油，毒鼠主死。磨疥癣虫疮毒肿。一名虎子桐，似梧桐，生山中。

**马疡木根皮**有小毒。主恶疮疥癣有虫者。为末，和油涂之。出江南山谷，树如枥也。

**木细辛**味苦，温，有毒。主腹内结积，癥瘕，大便不利，推陈去恶，破冷气。未可轻服，令人利下至困。生终南山。冬月不凋，苗如大戟，根似细辛。

本草品汇精要卷之二十

# 本草品汇精要

·卷之二十一·

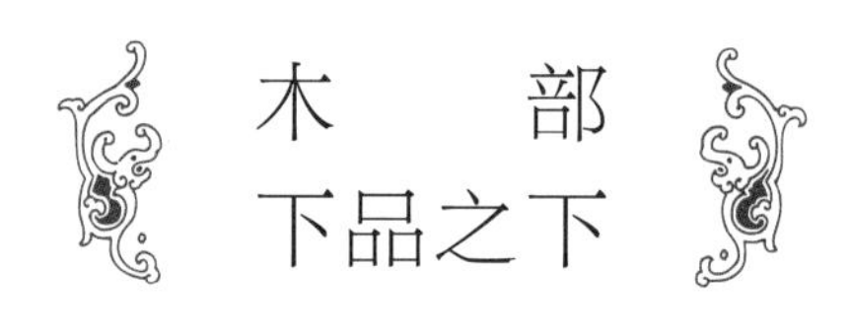

# 木部
## 下品之下

| | |
|---|---|
| 四种 | **神农本经** 朱字 |
| 四种 | **名医别录** 黑字 |
| 九种 | **唐本先附** 注云唐附 |
| 一十九种 | **宋本先附** 注云宋附 |
| 一十三种 | **陈藏器余** |

**已上总四十九种，内二十三[1]种今增图**

① 二十三：原作“二十二”，按《证类本草》“枫柳皮”条无图，故增一。

紫荆木宋附　紫真檀今增图

乌臼木根皮[①]唐附，子附，今增图　南藤宋附

盐麸子宋附，树白皮、根白皮、叶[②]上球子附，今增图

杉材杉菌附　接骨木唐附　枫柳皮唐附，今增图[③]

赤爪[④]木唐附，今增图　桦木皮宋附，今增图　榼藤子宋附，今增图

栾荆唐附，子附　扶移木皮[⑤]宋附，今增图

木鳖子宋附　药实根今增图　钓藤

栾华　蔓椒今增图　感藤宋附，今增图

赤柽木三春柳也，宋附　突厥白宋附，今增图　卖子木唐附

婆罗得宋附，今增图　甘露藤宋附，今增图　大空唐附，今增图

椿荚宋附，今增图　水杨叶嫩枝[⑥]唐附　杨栌木唐附，今增图

榄子宋附，今增图　楠材今增图　柘木宋附，今增图

柞木皮宋附，今增图　黄芦宋附，今增图　棕榈子宋附，皮附

木槿宋附，今增图　芫花

---

① 根皮：原无，据正文药名补。
② 叶：原作“华”，据总目改。
③ 今增图：原无，据义例补。
④ 爪：原注“侧绞切”。
⑤ 皮：原无，据正文药名补。
⑥ 嫩枝：原无，据正文药名补。

一十三种陈藏器余

| | | |
|---|---|---|
| 百家箸 | 梣木皮叶[1] | 刀鞘 |
| 芙树 | 丹桎木皮 | 结杀 |
| 杓 | 车家鸡栖木 | 檀 |
| 石荆 | 木黎芦 | 皋芦 |
| 诸木有毒 | | |

① 叶：原无，据正文药名补。

本草品汇精要卷之二十一

木部下品之下

木之木

## 紫荆木

无毒 植生

紫荆木主破宿血，下五淋，浓煮服之。名医所录。

名 紫荆树。〔子〕紫珠。

苗〔图经曰〕木似黄荆，叶小无桠，花深紫色。或云：田氏之荆也，至秋子熟，圆如小珠，名紫珠。其花、皮功用亦同。〔衍义曰〕紫荆木，春开紫花甚细碎，共作朵生，出无常处，或生于木身之上，或附根上枝下，直出花。花罢叶出，光紧微圆。今人多植于庭院间，花艳可爱。

地〔图经曰〕生江东林泽间，今处处有之。

时〔生〕春生叶。〔采〕无时。

收 日干。

用 木、皮、花。

质 类黄荆。

色 苍。

味 苦。

性 平，泄。

气 味厚于气，阴中之阳。

臭 朽。

主 通小肠，破宿血。

制 剉碎用，或煮汁用。

治〔疗〕〔陈藏器云〕治痈肿，喉痹，飞尸，蛊毒肿。煮汁洗疮肿，除血，长肤。

解 诸物毒及下瘘，蛇虺，虫、蚕、狂犬等毒。

# 紫真檀

无毒　植生

紫真檀主恶毒，风毒。

名医所录。

苗〔唐本注云〕树如檀。此物出昆仑盘盘国，虽不生中华，人间遍有之。

地〔陈藏器云〕出南海。

时〔生〕春生叶。〔采〕无时。

收 阴干。

用 木。

质 类降真香。

色 紫赤。

味 咸。

性 微寒，软。

气 气薄味厚，阴中之阳。

臭 香。

主 心腹痛。

制 剉碎用。

治〔疗〕〔陶隐居云〕治金疮，止血淋，及磨涂风毒诸肿。〔陈藏器云〕治霍乱，中恶，鬼气，杀虫。

# 乌臼木根皮

有毒　附子，无毒　植生

乌臼木根皮主暴水，癥结，积聚。名医所录。

**苗**〔唐本注云〕树高数仞，叶似梨、杏，花黄白，子黑色。其叶好染皂。子多取压为油，涂头令黑变白，燃灯极明。〔衍义曰〕叶似小杏叶，但微薄而绿色差淡。八九月子熟，初青后黑，分为三瓣者是也。

**地**〔图经曰〕生山南平泽。

**时**〔生〕春生叶。〔采〕不拘时取根皮。

**收** 日干。

**用** 木、根皮。

**色** 紫白。

**味** 苦。

**性** 微温，泄。〔子〕凉。

**气** 气厚于味，阳中之阴。

**臭** 朽。

**主** 头风积聚。

**制** 以慢火炙令脂汁尽，黄，干后用。

**治**〔疗〕〔日华子云〕根皮，除头风，通大小便。〔陈藏器云〕子，去阴下水。

**禁** 子，令人下痢。

木之走

# 南藤

无毒　蔓生

南藤主风血，补衰老，起阳，强腰脚，除痹，变白，逐冷气，排风邪。亦煮汁服，亦浸酒。冬月用之。名医所录。

**名** 丁公藤。

**苗** 〔图经曰〕此藤依南木而生，故名南藤。茎如马鞭有节，紫褐色，叶如杏叶而尖。南史解叔谦，雁门人，母有疾，夜于庭中稽颡祈告，闻空中云：得丁公藤治即瘥。访医及《本草》皆无。至宜都山中见一翁伐木，云是丁公藤疗风。乃拜泣求得之，及授渍酒法，毕，失翁所在。持归制服之，母疾遂愈。因名丁公藤也。

**地** 〔图经曰〕生南山山谷，今荣州、蓝田有之。〔道地〕泉州。

**时** 〔生〕春生苗。〔采〕八月或不拘时取藤。

**收** 日干。

**用** 藤。

**质** 类紫藤。

**色** 紫褐。

**味** 辛。

**性** 温，散。

**气** 气之厚者，阳也。

**臭** 朽。

**主** 排风除痹。

**制** 剉碎用。

**治** 〔疗〕〔别录云〕除诸风。

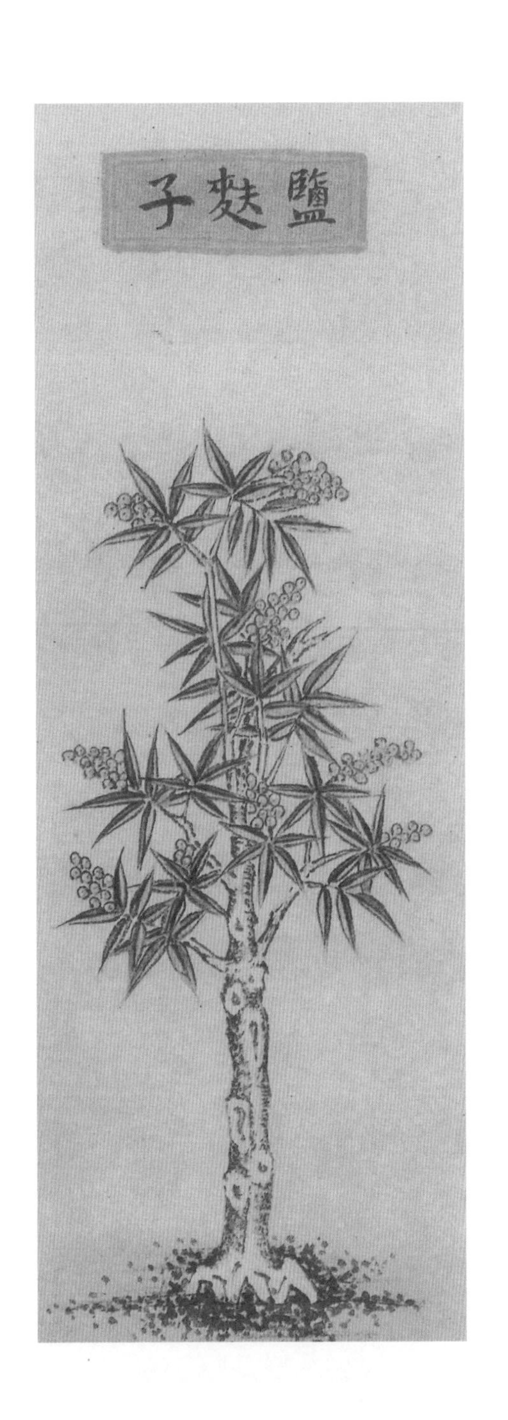


# 盐麸子

无毒　植生

盐麸子主除痰饮，瘴疟，喉中热结，喉痹，止渴，解酒毒，黄疸，飞尸，蛊毒，天行寒热，痰嗽。变白，生毛发。○树白皮，主破血，止血，蛊毒，血痢，杀蛔虫，并煎服。○根白皮，主酒疸。名医所录。

名 叛奴盐。

苗〔图经曰〕叶如椿，其子秋熟，作穗粒如小豆，上有盐似雪，食之酸、咸，止渴。〔陈藏器云〕蜀人谓之酸桶。《博物志》云：酸桶，七月出穗，上有盐著，可为羹。亦谓之酢桶。吴人名为乌盐是也。

地〔图经曰〕生吴蜀山谷。

时〔生〕春生叶。〔采〕七八月取子。

收 日干。

用 子、根皮。

质 类小豆。

色 白。

味 酸。

性 微寒，收。

气 气薄味厚，阴也。

臭 朽。

主 痰饮，喉痹。

制 干，捣末用。

治〔疗〕〔陈藏器云〕除头风，白屑。

合治 根白皮捣碎，合米泔浸一宿，平旦温服一二升，治酒疸。

解 蛊毒、药毒、酒毒。

○ 木之木

# 杉材

无毒 植生

杉材主疗漆疮。名医所录。

**苗**〔图经曰〕木类松而劲直，叶附枝生，若刺针。《尔雅》云：柀[1]，煔[2]。郭璞注云：煔似松，生江南，可以为船及棺材，作柱埋之不腐也。又杉菌，味苦，性微温。生积年杉木上，若菌状。〔衍义曰〕杉，其干端直，大抵如松，冬不凋，但叶阔成枝。庐山有万杉寺，即此杉也。

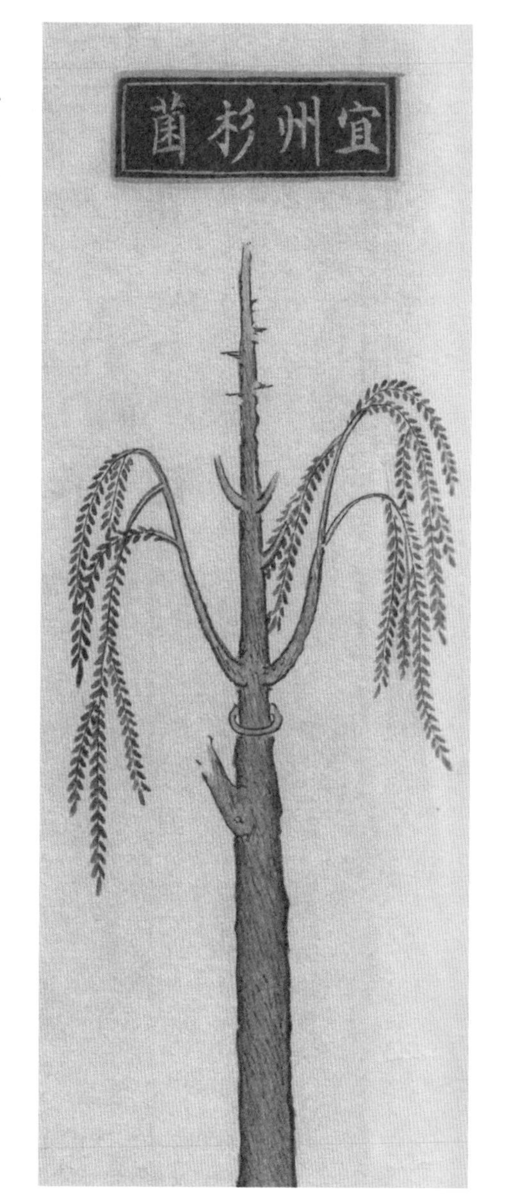


**地**〔图经曰〕出宜州、庐山，今南中深山处处有之。

**时**〔生〕经冬不凋。〔采〕无时。

**收** 日干。

**用** 木，有油者良。

**质** 类松而劲直。

**色** 紫。

**味** 辛。

**性** 微温，散。

**气** 气之厚者，阳也。

**臭** 香。

**主** 心腹胀痛。

---

① 柀：原注“音彼”。

② 煔：原注“胡甘切，与杉同”。

**制** 剉碎或煮汁用。

**治** 〔疗〕〔唐本注云〕除心腹胀痛，去恶气。水煮，捋脚气肿满。〔日华子云〕治风毒，奔豚，霍乱，止气。煎服并淋洗。

○ 木之草

# 接骨木

无毒，陈藏器云[①]有小毒

植生

接骨木主折伤，续筋骨，除风痒，龋齿。可作浴汤。名医所录。

① 陈藏器云：原无，据罗马本补。

**名** 木蒴藋。

**苗** 〔图经曰〕木高一二丈，花、叶都类陆英、水芹辈，但树高大尔。其木轻虚无心，斫枝插土易活，人家亦种之。

**地** 〔图经曰〕旧不著所出州土，今近京皆有之。

**时** 〔生〕春生叶。〔采〕无时。

**收** 日干。

**用** 木、叶、根皮。

**质** 类陆英。

**色** 青白。

**味** 苦。

**性** 平，泄。

**气** 味厚于气，阴中之阳。

**臭** 朽。

**主** 折伤，续筋骨。

**制** 剉碎用。

**治** 〔疗〕〔陈藏器云〕根皮，消痰饮，下水肿及痰疟，煮服当下，及吐立瘥。〔别录云〕治产后心闷，手脚烦热，气力欲绝，血晕连心头硬，及寒热不禁，或小便数，恶血不止。

**禁** 多服，令人吐。

木之木

# 枫柳皮

有毒　植生

枫柳皮主风，龋齿痛。

名医所录。

苗〔唐本注云〕叶似槐，茎赤根黄，六月子熟，绿色而细。

地〔图经曰〕出原州。

时〔生〕春生叶。〔采〕无时。

收 日干。

用 茎皮。

色 赤白。

味 辛。

性 大热，散。

气 气之厚者，阳也。

臭 腥。

主 止痢，齿痛。

制 剉碎用。

治〔疗〕〔陈藏器云〕止水痢。〔别录云〕治中热游及火烧外痛，烧末傅，兼治灸疮。

○ 木之木

# 赤爪木

无毒　植生

赤爪[1]木主水痢，风头身痒。○实，味酸，冷，无毒。汁服，主水痢。沐头及洗身上疮痒。

名医所录。

① 爪：原注“侧绞切”。

名〔子〕羊梂、鼠查梂。

苗〔唐本注云〕树小，高五六尺，叶似香葇，子似虎掌爪，木如小林檎，赤色。《尔雅》云：栎，其实梂。有梂草自裹，其子房生为梂。又爪木名羊梂、鼠查梂，此乃名同尔。梂似小查而赤，人食之也。

地〔图经曰〕生平陆，所在有之。〔唐本注云〕出山南，申、安、随等州。〔陈藏器云〕生高原。

时〔生〕春生叶。〔采〕无时。

收 日干。

用 木、实。

质 类小林檎。

色 赤。

味 苦。

性 寒，泄。

气 气薄味厚，阴也。

臭 朽。

主 水痢。

制 剉碎，煮汁用。

治〔疗〕〔陈藏器云〕洗漆疮。

# 桦木皮

无毒　植生

桦木皮主诸黄疸，浓煮饮之，良。名医所录。

**苗**〔别录云〕树似山桃而高大，皮堪为烛。取脂烧，辟鬼。〔衍义曰〕今人取皮裹鞍弓蹬，但皮上有紫黑花匀者为佳。

**地** 出上谷，所在有之。〔道地〕北土为胜。

**时**〔生〕春生叶。〔采〕无时。

**收** 日干。

**用** 皮。

**色** 紫褐。

**味** 苦。

**性** 平，泄。

**气** 味厚于气，阴中之阳。

**臭** 朽。

**主** 黄疸。

**制** 凡使，去上粗皮，剉碎或烧灰用。

**治**〔疗〕〔陈藏器云〕除伤寒时行热毒。

**合治** 合酒服方寸匕，疗乳痈，痈初发，肿痛结硬，欲破脓。

# 榼藤子

无毒　蔓生

榼藤子主蛊毒，五痔，喉痹，及小儿脱肛，血痢，并烧灰服。泻血，宜取一枚以刀剜内瓤熬研为散，空腹热酒调二钱，不过三服，必效。又宜人藻豆，善除皯黯。名医所录。

**名** 象豆。

**苗** 〔图经曰〕树如通草藤也。三年子始熟，紫黑色，其壳用贮丹药，经载不坏。今医家亦稀用之。〔衍义曰〕榼藤子，紫黑色，微光，大一二寸，圆褊，人多剔去肉，作药瓢垂于腰间。

**地** 〔图经曰〕生广南山林间。

**时** 〔生〕春生叶。〔采〕熟时取子。

**收** 暴干。

**用** 子。

**色** 黑。

**味** 甘、涩。

**性** 平，缓。

**气** 气厚于味，阳中之阴。

**臭** 腥。

**主** 五痔，血痢。

**制** 烧灰或炙用。

**治** 〔疗〕〔日华子云〕治飞尸。

○ 木之木

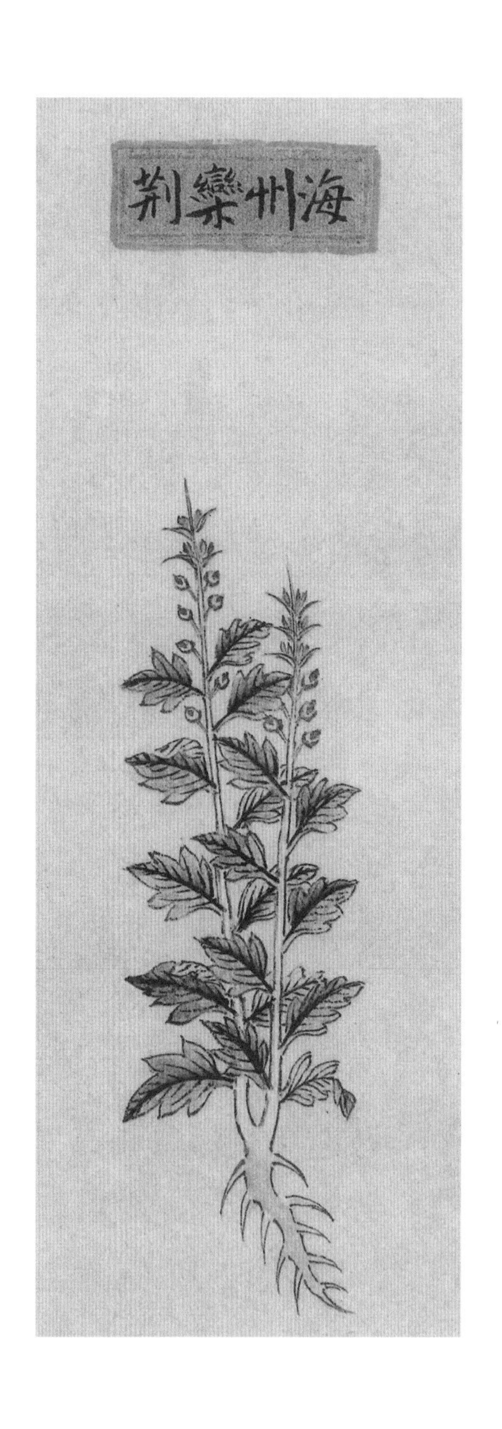


# 栾荆

有小毒　附[①]子，无毒

植生

栾荆主大风，头面手足诸风，癫痫狂痉，湿痹寒冷疼痛。俗方大用之，而《本草》不载，亦无别名。但有栾花，功用又别，非此花也。名医所录。

① 附：原脱，据目录补。

名 顽荆。

苗 〔图经曰〕枝茎白色，叶颇似榆叶，青色而长，冬夏不枯，干则自反。六月开花，花有紫、白二种，子似大麻，亦入药用。〔唐本注云〕雍州所产者，其叶干亦反卷，经冬不死。叶上有细黑点者为真。金、洛州乃用石荆当之，非也。

地 〔图经曰〕生东海及淄州、汾州。〔唐本注云〕雍州。〔道地〕海州。

时 〔生〕经冬不凋。〔采〕四月取苗叶，八月取子。

收 暴干。

用 苗叶、子。

质 叶似榆叶而长。

色 茎白，叶青。

味 辛、苦。〔子〕甘、辛。

性 温，泄。〔子〕微热。

气 气厚味薄，阳中之阴。

臭 朽。

反 子恶石膏。

制 剉碎用。

治 〔疗〕〔图经曰〕除大风，头面手足诸风，癫狂，痉痹，冷病。

合治 子合决明为使，服之能治四肢不遂，主通血脉，明目，益精光。

# 扶移木皮

有小毒　植生

扶移木皮去风血，脚气，疼痹，踠损瘀血，痛不可忍。取白皮，火炙，酒浸服之。名医所录。

名 移杨。

苗〔图经曰〕树大十数围，无风叶动，华反而后合。《诗》云：棠棣之华，偏其反尔[1]。郑注云：棠棣，移也。亦名移杨。崔豹云：移杨，圆叶弱蒂，微风大摇。

地〔图经曰〕生江南山谷。

时〔生〕春生叶。〔采〕无时。

收 日干。

用 皮。

质 类白杨。

色 青白。

味 苦。

性 平，泄。

气 味厚于气，阴中之阳。

臭 朽。

主 疼痹。

制 去上粗皮，剉碎用。

合治 五木皮煮作汤，捋脚气疼肿，杀瘃虫风瘙。

① 尔：原作“而”，据印本改。

木之走

# 木鳖子

无毒　蔓生

木鳖子主折伤，消结肿，恶疮，生肌，止腰痛，除粉刺，皯䵳，妇人乳痈，肛门肿痛。

名医所录。

**苗**〔图经曰〕苗作蔓，叶有五花，状如山芋叶，青色，面光。四月生黄花，六月结实，似栝楼而极大，生青熟红，肉上有刺，其核似鳖，故以为名。每一实其核三四十枚。〔衍义曰〕其苗一岁一枯，叶如葡萄叶，实中之子名木鳖子，但根不死，春旋生苗。其子一头尖者为雄，凡植时须雌雄相合，麻缕缠定，及其生也，则去其雄者，方能结实。

**地**〔图经曰〕生朗州及南中。湖广、杭越、全岳诸州亦有之。〔道地〕宜州、蜀郡。

**时**〔生〕春生苗。〔采〕七月、八月取子。

**收** 日干。

**用** 子。

**质** 类小鳖。

**色** 壳褐，肉青白。

**味** 甘。

**性** 温，缓。

**气** 气厚味薄，阳中之阴。

**臭** 焦。

**主** 消恶疮，散结肿。

**制** 凡使，去壳用仁，剉碎或去油用。

**治**〔疗〕〔别录云〕治痔疮，以三枚去皮，研如泥，用百沸汤一碗，同入盆内熏洗。

**解** 醋磨，消酒毒。

# 药实根

无毒　植生

药实根主邪气，诸痹疼酸，续绝伤，补骨髓。神农本经。

**名** 连木。

**苗** 〔唐本注云〕树叶似杏，花开红白色，子肉味酸。今亦稀用。又云：即药子也。用其核仁，《本经》误载根字，疑即黄药之实也。今按《唐本》与《本经》所载性味及所产之地大不相侔，实非一种明矣。

**地** 〔图经曰〕生蜀郡山谷。〔日华子云〕出通州、渝州。

**时** 〔生〕春生叶。〔采〕无时。

**收** 日干。

**用** 根。

**色** 褐。

**味** 辛。〔子〕辛。

**性** 温，散。〔子〕平。

**气** 气之厚者，阳也。

**臭** 朽。

**主** 诸痹疼酸。

**制** 剥去皮，捣用。

**治** 〔疗〕〔唐本注云〕子，破血，止痢，消肿，除蛊疰，蛇毒。

# 钓藤

无毒　植生

钓藤主小儿寒热，十二惊痫。名医所录。

苗〔图经曰〕叶细茎长，节间有刺，若钓钩者是也。〔衍义曰〕钓藤中空，二《经》不言之。长八九尺或一二丈者，小人有以穴隙间致酒瓮中，盗取酒，以气吸之，酒既出而涓涓不断。

地〔图经曰〕《本经》不载所出州土，今梁州有之。〔陶隐居云〕生建平。〔衍义曰〕湖南北、江南、江西山中皆有之。〔道地〕兴元府。

时〔生〕春生叶。〔采〕三月取藤。

收 日干。

用 藤皮。

质 类风藤而有钩。

色 青。

味 苦、甘。

性 寒、平，泄。

气 气薄味厚，阴中之阳。

臭 朽。

主 小儿惊热。

制 剉碎，或为末用。

治〔疗〕〔药性论云〕治小儿惊啼，瘛疭，热壅。〔日华子云〕治客忤，胎风。

合治 合甘草各二分，水五合，煮取二合，服如小枣大，日五夜三，治小儿惊痫。

# 栾华

无毒　植生

栾华主目痛，泪出，伤眦，消目肿。神农本经。

名〔子〕木栾子。

苗〔图经曰〕叶似木槿而薄细，花黄似槐而稍长大。子壳似酸浆，其中有实如熟豌豆，圆黑坚硬，堪为数珠者是也。其花亦可染黄，色甚鲜好。〔衍义曰〕其子即谓之木栾子。携至京都为数珠，未见其入药用也。

地〔图经曰〕生汉中川谷，今南方及都下园圃中或有之。〔衍义曰〕长安山中亦有之。

时〔生〕春生叶。〔采〕五月、六月取花。

收 阴干。

用 花。

质 类槐花而稍长大。

色 黄。

味 苦。

性 寒。

气 味厚于气，阴也。

臭 微香。

主 目肿。

助 决明为之使。

制 拣净，捣为末用。

合治 合黄连作煎，疗目赤烂。

# 蔓椒

无毒　植生

蔓椒主风寒湿痹，历节疼，除四肢厥气，膝痛。神农本经。

名 豕椒、猪椒、彘椒、狗椒、豨椒、樛。

苗 〔图经曰〕其木似樗，茎间有刺，子辛辣如椒。南人淹藏以作果品，俗呼为樛，似椒薰[1]，小但不香耳。采茎、根煮，酿酒用之。或云金椒是也。

地 〔图经曰〕生云中川谷及丘冢间，闽中、江东皆有之。

时 〔生〕春生叶。〔采〕秋取子，不拘时取茎、根。

收 暴干。

用 子、茎、根。

质 木类樗，子如椒。

色 淡红。

味 苦。

性 温，泄。

气 气厚于味，阳中之阴。

臭 朽。

主 贼风挛急。

制 茎、根洗去土，剉碎用。

治 〔疗〕〔陶隐居云〕能蒸病出汗。

---

① 薰：原注“音党”。

# 感藤

无毒　蔓生

感藤主调中益气，五脏通血气，解诸热，止渴，除烦闷，治肾钓气。名医所录。

**名** 甘藤、甜藤。

**苗** 〔图经曰〕藤如木防己，大如鸡卵，斫藤断，吹气出一头，其汁甘美如蜜，故名甜藤，又名甘藤。其甘、感声近，故以甘作感，盖传写之误也。

**地** 〔图经曰〕生江南山谷。

**时** 〔生〕春生叶。〔采〕无时。

**收** 日干。

**用** 藤、叶。

**质** 类木防己。

**色** 褐。

**味** 甘。

**性** 平，缓。

**气** 气厚于味，阳也。

**臭** 香。

**主** 调中益气，止渴除烦。

**制** 剉碎用。

**治** 〔疗〕〔图经曰〕叶，研傅蛇虫咬疮。

## 赤柽木

无毒　植生

赤柽木主剥驴马血入肉毒，取以火炙用熨之，亦可煮汁浸之。○脂名柽乳，入合质汗用之。名医所录。

名 春柳、雨师、河柳。〔脂〕柽乳。

苗 〔图经曰〕赤柽木，皮赤叶细，即今所谓柽柳也。《尔雅疏》云：柽，河柳。郭璞云：今河傍赤茎小杨。陆机《诗疏》云：皮正赤如绛，枝叶似松是也。〔衍义曰〕赤柽木，人谓之三春柳，以其一年三秀也。花肉红色成细穗，戎人取滑枝为鞭，京师亦甚多。

地 〔图经曰〕生河西沙地，今处处有之。

时 〔生〕春生叶。〔采〕无时。

收 阴干。

用 木枝、脂。

质 类小杨而皮赤，叶细如松。

色 青。

性 温。

气 气之厚者，阳也。

臭 朽。

制 剉碎用。

# 突厥白

植生

突厥白主金疮，生肉，止血，补腰，续筋。

名医所录。

**苗**〔谨按〕苗高三四尺，春夏叶如薄荷，花似牵牛而紫，上有白棱。其根黄白色，状似茯苓而虚软。出突厥国，色白如灰，乃云石灰共诸药合成之。夷人以合金疮，今中国医家见用经效者也。

**地** 突厥国、潞州。

**时**〔生〕春生叶。〔采〕二月、八月取根。

**收** 暴干。

**用** 根。

**质** 类茯苓而虚软。

**色** 黄白。

**味** 苦。

**性** 泄。

**气** 味厚于气，阴也。

**臭** 朽。

**主** 生肌，止血。

**制** 捣末用。

# 卖子木

无毒　植生

卖子木主折伤，血内溜，续绝，补骨髓，止痛，安胎。名医所录。

**苗**〔图经曰〕株高五七尺，木径寸许，春生嫩枝条，叶如柿，尖长一二寸，俱青绿色，枝梢淡紫色。三四月开碎花，百十枝围簇作大朵，焦红色。随花便生子如椒目，在花瓣中黑而光洁，每株花裁[①]三五大朵耳。因每岁土贡，谓之卖子木也。

**地**〔图经曰〕生山谷中，今剑南、邛州有之。〔道地〕渠州。

**时**〔生〕春生叶。〔采〕五月取枝叶。

**收**阴干。

**用**枝叶。

**色**青绿。

**味**甘、咸。

**性**平，缓。

**气**气味俱薄，阳中之阴。

**臭**朽。

**主**折伤，止痛。

**制**〔雷公云〕凡采得后，粗捣，用酥炒，令酥尽为度，然入药。每一两用酥二分为度。

---

① 裁：原注“与才同”。

# 婆罗得

无毒　植生

婆罗得主冷气块，温中，补腰肾，破痃癖。可染髭发令黑。名医所录。

**苗**〔图经曰〕树如柳，子如蓖[1]麻。徐氏云：生西海、波斯国，似中华柳树也。

**地**〔图经曰〕生西国。

**时**〔生〕春生叶。〔采〕无时。

**收** 阴干。

**用** 木子。

**色** 紫黑。

**味** 辛。

**性** 温，散。

**气** 气之厚者，阳也。

**臭** 朽。

**主** 破痃癖，乌髭发。

**制** 剉碎用。

① 蓖：原注“音卑”。“蓖”，原作“萆”，据药名改。

# 甘露藤

无毒　蔓生

甘露藤主风血气诸病，久服调中温补，令人肥健，好颜色，止消渴，润五脏，除腹内诸冷。名医所录。

名 肥藤。

苗 〔图经曰〕藤蔓如筋，人服之得肥，故名肥藤。

地 〔图经曰〕生岭南。

时 〔生〕春生叶。〔采〕无时。

收 日干。

用 藤。

色 青绿。

味 甘。

性 温，缓。

气 气之厚者，阳也。

臭 朽。

主 益五脏，除诸冷。

制 剉碎用。

○ 木之木

# 大空

有小毒　植生

大空主三虫，杀虮虱。○根皮作末，油和涂，虮虱皆死。名医所录。

名 独空。

苗 〔唐本注云〕木高六七尺，叶似楮叶，小而圆厚，根皮赤色。秦陇人名独空也。

地 〔图经曰〕生山谷中。〔唐本注云〕出襄州山谷，所在亦有。

时 〔生〕春生叶。〔采〕无时。

收 暴干。

用 根皮。

色 赤。

味 辛、苦。

性 平，散。

气 气厚于味，阳中之阴。

臭 朽。

主 三虫。

制 剉碎或捣末用。

# 椿荚

无毒　植生

椿荚主大便下血。名医所录。

苗〔衍义曰〕世以无花不实，木身大，其干端直为椿。○有花而荚，木身小，干多迂矮者为樗。故曰：未见椿上有荚者，惟樗木上有。又有樗鸡，故知古人命名不言椿鸡而言樗鸡者，以显有鸡者为樗，无鸡者为椿，其义甚明也。然世俗不辨椿、樗之异，故伪名为椿荚，其实樗荚耳。

地〔图经曰〕旧本不载所出州土，今南北皆有之。

色 绿。

味 微苦。

性 泄。

气 气薄味厚，阴中之阳。

臭 腥。

# 水杨叶嫩枝

无毒　植生

水杨叶嫩枝主久痢赤白，捣和水绞取汁，服一升，日二，大效。

名医所录。

**名** 旄泽柳。

**苗** 〔图经曰〕其叶圆阔而赤，枝条短硬，多生岸傍。其形与杨柳相似，因生于水岸，故名水杨，《尔雅》所谓旄泽柳即今蒲柳是也。

**地** 〔图经曰〕生水岸傍，处处有之。

**时** 〔生〕春生叶。〔采〕无时。

**收** 日干。

**用** 叶、嫩枝。

**质** 类杨柳而叶圆阔。

**色** 青赤。

**味** 苦。

**性** 平，泄。

**气** 味厚于气，阴中之阳。

**臭** 朽。

**主** 赤白痢。

**制** 剉碎用。

# 杨栌木

有毒　植生

杨栌木主疸瘘，恶疮。水煮叶汁，洗疮，立瘥。名医所录。

**名** 空疏。

**苗** 〔谨按〕木高丈余，皮褐木黄，春生叶似榆叶而尖，夏开黄花，秋结实似大枣而青红。今染黄色用者是也。

**地** 〔图经曰〕生篱间，所在皆有之。

**时** 〔生〕春生叶。〔采〕无时。

**收** 阴干。

**用** 木。

**质** 类桑木。

**色** 黄。

**味** 苦。

**性** 寒。

**气** 气薄味厚，阴也。

**臭** 朽。

**制** 剉碎用。

# 欓子

植生

欓子主游蛊、飞尸着喉口者，刺破，以子揩之，令血出，当下涎沫。煮汁服之，去暴冷腹痛，食不消，杀腥物。名医所录。

**苗**〔图经曰〕其木高大似樗，茎间有刺，子辛辣如椒。南人淹藏以作果品，或以寄远。《吴越春秋》云：越以甘蜜丸榄，报吴增封之礼。然则藙之相赠尚矣。

**地**〔图经曰〕出闽中、江东。

**时**〔生〕春生叶。〔采〕八九月取实。

**收** 阴干。

**用** 实。

**色** 赤。

**味** 辛辣。

**性** 散。

**气** 气之厚者，阳也。

**臭** 香。

**主** 腹中冷痛。

**制** 煮汁用。

# 楠材

微毒　植生

楠材主霍乱吐下不止。

名医所录。

苗〔图经曰〕其木颇似石南而更高大，叶差小，其材堪中梁柱，今医方亦稀用也。〔衍义曰〕楠材，今江南等路造船场皆此木也，缘木性坚而善居水。久则多中空，为白蚁所穴。

地〔图经曰〕出江南山谷间有之。

时〔生〕春生叶。〔采〕无时。

用 木。

质 类杉木而坚大。

色 赤褐。

味 辛。

性 温、热，散。

气 气之厚者，阳也。

臭 香。

主 霍乱转筋。

制 剉碎用。

# 柘木

无毒　植生

柘木主补虚损，妇人崩中，血结，及主疟疾。〇白皮及东行根白皮，煮汁酿酒，主风虚，耳聋，劳损，虚羸瘦，腰肾冷。梦与人交接泄精者，取汁服之。名医所录。

名〔实〕隹[1]。

苗〔衍义曰〕木有纹，可镟为器。其叶饲蚕，曰柘蚕，然叶硬不及桑叶。木堪染黄。《考工记》曰：弓人取材，莫良于檿，尤莫良于柘。《蚕书记》曰：柘叶饲蚕，其丝作琴瑟，弦清鸣响亮，胜于凡丝远矣。

地〔别录云〕今江南甚多。

时〔生〕春生叶。〔采〕春夏取叶，不拘时取皮、根。

收 日干。

用 木皮、东行根白皮。

质 木似桑而有纹。

色 黄白。

味 甘。

性 温，缓。

气 气之厚者，阳也。

臭 朽。

主 祛风，止疟。

制 剉碎用。

① 隹：原注“音锥”。

# 柞木皮

无毒　植生

柞木皮主黄疸病，皮烧末，服方寸匕。名医所录。

**苗**〔图经曰〕木高一二丈，叶细于栎，枝干多刺，纹理坚实而黑，今之可作梳者是。陆机云：秦人谓柞栎为栎。又《唐风》云：集于苞栩。释云：栩，柞栎也。其子为皂，斗壳可以染皂者是也。

**地**〔图经曰〕生南方。

**时**〔生〕春生叶。〔采〕不拘时取皮。

**收** 阴干。

**用** 皮。

**质** 木类栎而纹理细实。

**味** 苦。

**性** 平，泄。

**气** 味厚于气，阴中之阳。

**臭** 朽。

**制** 烧末用。

# 黄栌

无毒　植生

黄栌主除烦热，解酒疸目黄，煮服之。亦洗汤火漆疮及赤眼。

名医所录。

苗〔谨按〕木高丈余，皮褐木黄，春生叶似榆叶而圆，夏开黄花，不结实。今染黄色者是也。

地〔图经曰〕生商、洛山谷及川界甚有之。

时〔生〕春生叶。〔采〕无时。

收 阴干。

用 木。

质 类桑木。

色 黄。

味 苦。

性 寒，泄。

气 味厚于气，阴也。

臭 朽。

主 洗漆疮。

制 剉碎用。

# 棕榈子

无毒　植生

棕榈子主涩肠，止泻痢肠风，崩中带下，及养血。○皮，平，无毒，止鼻洪吐血，破癥。治崩中带下，肠风赤白痢。名医所录。

名〔叶〕蒲葵、栟榈。

苗〔图经曰〕木高一二丈，傍无枝条，叶大而圆，歧生枝端，有皮相重，被于四傍，每皮一匝为一节，二旬一采，转复生上。六七月开黄白花，八九月结实作房如鱼子黄，嫩时可淹以为茹，大则黑色如茶实，采入药用。《山海经》曰：石脆[①]之山，其木多棕是也。〔衍义曰〕棕榈木，今人旋为器。其皮不剥，则木束死。《传》曰：棕长则剥，为是故也。

地〔图经曰〕生岭南、四[②]川，今江南多有之。

时〔生〕春生叶。〔采〕九月、十月取实。

收 日干。

用 子、皮。

色 生青，熟黑。

味 淡。

性 平。

气 气味俱薄，阴中之阳。

臭 朽。

主 崩中带下。

制〔子〕捣碎用，〔皮〕烧灰存性用。

治〔疗〕〔衍义曰〕皮，烧黑灰，治妇人血露及吐血，为末服之，瘥。

---

① 脆：原注“一作翠”。

② 四：原作“西”，据罗马本改。

○ 木之木

# 木槿

无毒　植生

木槿主肠风泻血，痢后热渴，作饮服之，令人得睡。○花，凉，无毒，治肠风泻血并赤白痢，炒用。作汤代茶吃，治风。名医所录。

**名** 椵[①]、舜。

**苗** 〔衍义曰〕木似李，五月始华，其花开五出或多瓣重叠，淡红色，如蜀葵，朝开暮敛，《月令》木槿，荣是也。江南多种植为篱障，取汁度丝，使得易络。

**地** 〔衍义曰〕生湖南北，今处处人家种之。

**时** 〔生〕春生叶。〔采〕无时。

**收** 日干。

**用** 花、枝、叶。

**质** 类李树。

**色** 青。

**性** 平。

**气** 气之薄者，阳中之阴。

**臭** 朽。

**主** 肠风，痢后热渴。

**制** 入药并炒用。

① 椵：原注“大馆切”。

○ 木之草

# 芫花

有小毒　植生

芫花出神农本经。主咳逆，上气，喉鸣喘，咽肿，短气，虫毒，鬼疟，疝瘕，痈肿，杀虫鱼。以上朱字神农本经。消胸中痰水，喜[1]唾，水肿，五水在五脏、皮肤，及腰痛，下寒毒、肉毒。○根，疗疥疮。可用毒鱼。以上黑字名医所录。

① 喜：原注“音戏”。

**名** 去水、黄大戟、杜芫、儿草、毒鱼、黄芫花、败华。〔根〕蜀桑根。

**苗**〔图经曰〕宿根，旧枝茎紫，长一二尺，根入土深三五寸，白色，似榆根，皮黄赤，似桑根。春生苗，叶小而尖，似杨柳枝叶，亦似白前。二月开紫花，颇似紫荆，作穗又似藤花而细，其花须于蕊蒂细小、未生叶时收之，三月叶生，其花落，即不堪用。今绛州出者花黄，谓之黄芫花也。

地〔图经曰〕生淮源川谷，今在处有之。〔道地〕绛州、绵州、滁州、邯州。

时〔生〕春生苗叶。〔采〕三月三日取花。

收 阴干。

用 花。

质 类藤花而细。

色 紫。

味 辛、苦。

性 温，泄。

气 气厚味薄，阳中之阴。

臭 朽。

主 泻水气，利五脏。

助 决明为之使。

反 甘草。

制 挼碎用。

治〔疗〕〔图经曰〕主蛲瘕。〔药性论云〕治心腹胀满，寒痰，涕唾如胶者。及通利血脉，并恶疮，风痹湿，一切毒风，四肢挛急，不能行步。能泻水肿胀满。〔日华子云〕止嗽，瘴疟。

## 一十三种陈藏器余

**百家箸**[①]主狂狗咬，乞取煎汁饮之。又烧箸头为灰，傅吻上燕口疮。

**榀木皮叶**煮洗蛇咬，亦可作屑傅之。榀，大[②]木也，出江南也。

**刀鞘**无毒。主鬼打卒得，取二三寸，烧末服，水下之。此是长刀鞘也，腰刀弥佳。

**芺**[③]**树**有大毒。主风痹偏枯，筋骨挛缩，瘫痪，皮肤不仁，疼冷等，取枝、叶捣碎，大甑中蒸令热，铺著床上，展卧其中，冷更易，骨节间风尽出，当得大汗。补药及羹粥食之，慎风冷劳复。生江南深山，叶长厚，冬月不凋，山人总识也。

**丹桎木皮**主疬疡风，取一握去上黑，打碎，煎如糖，涂风上。桎木似杉木，生江南深山。

**结杀**味香。主头风，去白屑，生发，入膏药用之。生西国。树花，胡人将香油傅头也。

**杓**打人身上结筋二下，筋散矣。

**车家鸡栖木**无毒。主失音不语。杂方云：作灰服一升，立效也。

---

① 箸：原作“筯”，据《证类本草》改。

② 大：原作“木”，据《证类本草》改。

③ 芺：原注“音天”。

**檀**秦皮注，苏云：檀似秦皮。按檀树，取其皮和榆皮食之，可断谷。《尔雅》云：檀，苦茶。其叶堪为饮。树体细，堪作斧柯。至夏有不生者，忽然叶开，当有大水。农人候之以测[①]水旱，号为水檀。又有一种，叶如檀，高五六尺，生高原，花四月开，色正紫，亦名檀。根如葛极，主疮疥，杀虫，有小毒也。《尔雅》无檀，苦茶；唯言槚，苦茶。郭注：树小似栀子，冬生叶，可煮作羹。今早采者为茶，晚采者为茗。一名荈。蜀人呼名之苦茶。前面已有茗、苦茶，又引《尔雅》，疑此误矣。

**石荆**栾荆注，苏云：用当栾荆，非也。按石荆似荆而小，生水傍，作灰汁沐头生发。《广济方》云：一名水荆，主长发是也。

**木黎芦**漏芦注，陶云：漏芦一名鹿骊，生山，南人用苗，北人用根，功在《本经》。木黎芦有毒，非漏芦。树生如茱萸，树高二尺，有毒，杀虫。山人以疮疥用之。

**瓜芦**苦菜注，陶云：又有瓜芦木，似茗，取叶煎饮，通夜不寐。按此木一名皋芦，而叶大似茗，味苦涩，南人煮为饮，止渴，明目，除烦，不睡，消痰，和水当茗用之。《广州记》曰：新平县出皋芦，叶大而涩。《南越志》云：龙川县有皋芦，叶似茗，土人谓之过罗。

① 测：原作“则”，据印本改。

**诸木有毒**合口椒有毒。椒白色有毒。木耳，恶蛇虫从下过有毒，生枫木上者，令人笑不止，采归色变者有毒，夜中视光有毒，欲烂不生虫者有毒，并生捣冬瓜蔓主之也。

本草品汇精要卷之二十一

# 本草品汇精要

## ·卷之二十二·

# 人 部

一种 神农本经 朱字

四种 名医别录 黑字

九种 宋本先附 注云宋附

一种 唐慎微附

一种 今补

一十种 陈藏器余

已上总二十六种

发髲 乱发 人乳汁
头垢 人牙齿宋附，齿垽附 耳塞宋附
人屎东向圊厕[①]溺坑中青泥附 人溺宋附 秋石今补
溺白垽宋附[②] 妇人月水宋附 浣裈汁宋附
人精宋附 怀妊妇人爪甲宋附 天灵盖宋附
人髭唐慎微附

一十种陈藏器余
人血 人肉 人胞
妇人裈裆 人胆 男子阴毛
死人枕及席[③] 夫衣带 衣中故绵[④]絮
新生小儿脐中屎

① 圊厕：原倒，据正文药名乙转。
② 宋附：原脱，据罗马本补。
③ 及席：原无，据正文药名补。
④ 绵：原无，据正文药名补。

# 本草品汇精要卷之二十二[1]

人部

## 发髲

无毒

发髲[2]出神农本经。**主五癃，关格不通，利小便水道。疗小儿痫，大人痓，仍自还神化。**以上朱字神农本经。**合鸡子黄煎之，消为水，疗小儿惊热。**以上黑字名医所录。

〔陶隐居云〕李云：是童男发，神化之事，未见别方。今俗用发，皆取其父梳头乱者尔。不知此发髲审是何物。且髲字书记所无，或作蒜。今人呼斑发为蒜发。〔衍义曰〕发髲与乱发自是两等，发髲味苦，即陈旧经年岁者。如橘皮皆橘也，而取其陈者。狼毒、麻黄、吴茱萸、半夏、枳实之类，皆须陈者，谓之六陈，入药更良，败蒲亦然，此用发之义耳。今人又谓之头髲，其乱发条中自无用髲之义。此二义甚明，亦不必如此过谓搜索。〔谨按〕已上三说

① 卷之二十二：原脱，据印本补。
② 髲：原注“音被”。

不同，及无义据，今揆之则不然。考《鄘风》偕老之诗曰：鬒[1]发如云不屑髢[2]也。髢，发髢也。人少发则以髢益之，发自美则不洁于髢而用之也。观此，实今之束以饰发者，俗云头髲是矣。

**色** 黑。

**味** 苦。

**性** 温。又云：小寒。

**气** 气之薄者，阳中之阴。

**臭** 臭。

**主** 止血闷。

**制** 凡用，以苦参水浸一宿，漉出，入瓶子，以火煅之，令通赤，放冷，研用。

**治**〔疗〕〔日华子云〕烧灰，止血运，金疮，伤风，血痢。○煎膏，长肉，消瘀血。〔别录云〕治石淋，伤寒发[3]黄，俱烧灰，水服一寸匕，日三，良。胎衣不出，含口中，立下。

---

① 鬒：原注“音珍”。

② 髢：原注“音替”。

③ 发：原脱，据印本补。

# 乱发

乱发主咳嗽，五淋，大小便不通，小儿惊痫，止血，鼻衄，烧之，吹内立已。名医所录。

名 血余。

苗[1]〔陶隐居云〕此即人之头发，梳下乱畜者是也。

色 黑。

味 苦。

性 微温，泄。

气 味厚于气，阴中之阳。

主 止血。

制 烧灰，研细用。

治〔疗〕〔唐本注云〕治转胞，小便不通及赤白痢，哽噎，痈肿，尸疰，疔肿，骨疽等疮。〔药性论云〕消瘀血，关格不通，利水道。〔别录云〕治黄疸，烧发灰，水调服一钱匕，日三服。○治鼻衄，眩冒欲死。烧乱发，细研，水服方寸匕。须臾，更吹少许入鼻中。○治小儿重舌欲死，以乱发灰细研半钱，傅舌下，日不住用之。

① 苗：原无，据义例补。

○治食中误吞发，绕喉不出。取己头乱发烧灰，水调服一钱匕。○治尸疰，烧乱发如鸡子大，为末，水调服之。○治小儿斑疮及豌豆疮，烧发灰，水服三钱匕。

合治 发灰合酒服方寸匕，治小儿惊啼。○乱发如鸡子大烧灰，合盐汤服之，治霍乱烦躁，以吐为度，不吐再服。○乱发合爪甲烧灰，酒服方寸匕，治无故遗血。○乱发如鸡子大，合猪脂半斤，煎令尽，分二服。治女劳疸，身目皆黄，发热，恶寒，小腹急满，小便难，内大热及大劳。交接后入水所致也。○乱发一团如梨许大，合鸡子黄煮熟，二物相和于铫子，炭火熬。初甚干，少顷，发焦遂有液出。旋取，置一瓷盏中，以液尽为度。取此液傅热疮上，即又以苦参末掺之。○乱发烧灰，合猪脂涂，治小儿燕口，两角生疮。○乱发合露蜂房、蛇蜕皮各烧灰，酒调服方寸匕，治口疮久不合，神验。○收自己乱发，洗净，晒干，每一两合椒五十粒，泥封固入炉，大火煅如黑糟，细研，酒调服一钱匕，髭发黑长。

# 人乳

**无毒**

**人乳汁主补五脏，令人肥白悦泽。**名医所录。

〔衍义曰〕人乳汁，治目之功多，何也？人心生血，肝藏之。肝受血则能视，盖水入于经，其血乃成。又曰：上则为乳汁，下则为月水，故知乳汁即血也。用以点眼，岂有不相宜者。血为阴，故其性冷。脏寒人，如乳饼、酪之类不可多食。虽曰牛、羊乳，然亦不出乎阴阳造化尔。

**色** 白。

**味** 甘。

**性** 冷、平，缓。

**气** 气之薄者，阳中之阴。

**臭** 腥。

**主** 明目，止泪。

**治**〔疗〕〔日华子云〕点眼，止泪并疗赤目，使之明润。〔别录云〕首生男乳，疗目赤痛，多泪。又疗月经不通，饮三合即通。又误食啖蛇、牛肉欲死，饮乳汁一升，立愈。欲知啖蛇者，毛发向后顺者是也。〔补〕〔日华子云〕益气，治瘦悴，悦皮肤，润毛发。

**合治** 合雀屎，去目赤，胬肉。○以五合，合三年陈酱五合，和研，用生布绞取汁，不计时候，少少与服，疗卒中风不语，舌根强硬，良久当语。

# 头垢

**无毒**

头垢主淋闭不通。名医所录。

**治**〔疗〕〔陶隐居云〕头垢，为丸服之，治噎及劳复。用悦泽人者佳。〔别录云〕头垢，烧热水为丸，如梧桐子大，饮服一丸，治伤寒病后，欲令不劳复，有验。○头垢，水调服一小豆大，治百邪，鬼魅。○头垢，治紧唇，傅之，妙。○头垢一分，熟水调下，治马肝杀人。○头垢，治竹木刺在肉中不出者，涂之，即出。○故腻头巾，浸取汁，暖服一升，治天行劳复作渴。○故头巾垢一钱匕，热汤中烊服之，主食自死鸟、兽肝中毒。○头䍦三年者，主卒心痛，沸汤煮取汁饮之，以头䍦于闲处，碗覆之周时开，即愈。

**合治** 头垢，合酸浆煎膏服之，治噎病，立愈。○头垢少许，合热牛粪，治犬咬人，重发疮者，效。○头垢，合苦参末酒调傅，治蜈蚣咬人，痛不可忍者，立效。

**解** 蛊毒及蕈毒，米饮或酒化下，并以吐为度。

# 人牙齿

人牙齿除劳，治疟，蛊毒气。名医所录。

味 咸。

性 平，软。

气 味厚气薄，阴中之阳。

制 烧灰存性，细研用。

合治 齿蜓，和黑虱研涂，出箭头并恶刺，破痈肿。○人牙齿，烧灰细研，合酥调，贴痈疮。

# 耳塞

无毒

**耳塞治癫狂，鬼神及嗜酒。**名医所录。

名 脑膏、泥丸脂。

性 温。

气 气之厚者，阳也。

味 咸、苦。

制 研用。

主 蛇、虫、蜈蚣螫者，涂之最良。

治 抓疮伤，水肿，痛难忍者，以耳垢封之一夕，水尽出而愈。○一切目疾，耳塞晒干，每以粟许，夜夜点之。合治蛇、虫螫伤，人耳垢、蚯屎和涂，出尽黄水，立愈。○破伤中风，用病人耳中膜并刮爪甲上末，唾涂于疮口上，立效。○疔疽、恶疮，用生人脑即耳塞也，以盐泥等分研匀，将蒲公英捣汁，和作小饼封之，大有奇效。○小儿夜啼，惊热，用人耳塞、石莲心、人参各五分，乳香二分，灯花一字，丹砂一分为末，每用五分，薄荷汤送下[1]。

① 味……薄荷汤送下："味"至"治"项下内容，原无，据罗马本补。

# 人屎

无毒　附东向圊厕溺[1]坑中青泥

**人屎寒，主疗时行大热，狂走，解诸毒。宜用绝干者，捣末，沸汤沃服之。〇东向圊[2]厕溺坑中青泥，疗喉痹，消痈肿，若已有脓即溃。**名医所录。

治〔疗〕〔陶隐居云〕交、广俚[3]人，同焦铜为箭镞射人，才伤皮便死。惟饮粪汁即瘥，而射猪、狗不死，以其食粪故也。时行大热，饮粪汁亦愈。今近城寺别塞空罂口内，粪仓中积年得汁，甚黑而苦，名为黄龙汤。疗温病垂死，皆瘥。〔唐本注云〕人屎，主诸毒，卒恶热黄闷欲死，新者最效，与水和服之。其干者烧之烟绝，水渍饮汁，名破棺汤。主伤寒热毒，水渍饮弥善。破疔肿，开以新者封之，一日根烂。〔衍义曰〕人屎，用干陈者为末，于阴地净黄土中，作五六寸小坑。将末三两匙于坑中，以新汲水调匀，良久，俟澄清，与时行大热，狂渴，须水人饮之，愈。今世俗谓

① 东向圊厕溺：原无，据目录及正文药名补。
② 圊：原注“音青”。
③ 俚：原注“音里”。

之地清，然饮之勿极意，恐过多耳。〔别录云〕治蛇咬，以屎厚傅上，后帛裹之即消。〇治小儿阴疮，屎烧灰傅之，瘥。

合治 粪清冷，腊月截淡竹去青皮，浸渗取汁，治天行热狂，热疾，中毒，并恶疮，蕈毒，取汁服。浸皂荚、甘蔗，治天行热疾。〇治产后阴下脱，人屎炒令赤，以酒服方寸匕，日三。〇骨蒸热，取屎干，烧令外黑，内水中澄清，每旦服一小升，至晚，合小童便服一小升，以瘥为度。

# 人溺

无毒

人溺疗寒热头疼，温气。名医所录。

用 童子者佳。

味 咸。

性 寒，软。

气 味厚于气，阴也。

主 明目，益声。

治〔疗〕〔唐本注云〕尿煎服之，每服一升，主卒血攻心，被打内有瘀血。及治癥积满腹，诸药不瘥者，服之，皆下血片块。亦治久嗽上气，失音。〇尿坑中竹木，主小儿齿不生，正旦刮涂之，即生。〔日华子云〕止劳渴，润心肺，疗血闷，热狂，扑损瘀血，运绝及困乏。揩洒皮肤，治皲裂，能润泽人，蛇、犬等咬，以热尿淋患处。〔陈藏器云〕润肌肤，利大肠，推陈致新，止咳嗽，治肺痿，鬼气，痓病弥久，停臭者佳。恐性冷，当以热物和温服之，妙。

合治 尿合葱、豉作汤服之，治人初患头痛。〇尿一升，合姜、葱各一分，煎三两沸，乘热饮之，治难产及胞衣不下，立效。

# 秋石

无毒　煎炼成

**秋石主虚劳，冷疾，小便遗数，漏精，白浊，滋肾水，暖丹田，返本还原，归根复命。安五脏，润三焦，消痰咳，退骨蒸，软坚块，明目清心，延年益寿。**今补。

**名** 秋冰。

**苗** 古人唯取人中白、人尿治病。方士以王公贵人恶其不洁，设法煅炼，始有秋石。再加升打其精，好者谓之秋冰。炼法：秋月取童子尿，每缸入石膏末七钱，桑条搅澄，定倾，去清液，如此二三次。乃入秋露水一桶，搅澄，如此数次。滓秽涤净，咸味减除。以重纸铺灰上，晒干完全。取起轻清在上者为秋石，重浊在下者刮去。世又有阴炼、阳炼二法。

**地** 通都大镇皆有，南多于北。

**时** 〔生[①]〕秋月。〔采[②]〕无时。

**收** 瓷器盛，置干燥处。

① 生：原脱，据义例补。
② 采：原脱，据义例补。

**用** 在上轻清者。

**质** 类盐。

**色** 白。

**味** 微咸。秋冰淡。

**性** 微温。阳炼者，温。

**气** 气薄味厚，阴中之阳。

**臭** 微燥。〔秋冰〕香。

**主** 温水脏，填肾水。

**行** 入足少阴经。

**治** 〔疗〕噎食反味，每用一钱，白汤下，妙。

**合治** 服丹发热，以阴炼者用，大豆黄卷煎汤下。○赤白带下，以蒸枣肉捣丸梧子大，每服六十丸，空心醋汤下。○合白茯苓各四两，莲肉、芡实各二两为末，蒸枣肉为丸梧子大，每空心盐汤下三十丸，治思虑、色欲过度损伤心气，遗精，小便数，效。○合细辛、黄芪、肉桂，治耳时通时闭。

**赝** 以盐入炉火煅成为伪。

# 溺白垽

## 溺白垽疗鼻衄，汤火灼疮。名医所录。

名 人中白。

色 白。

味 咸。

性 凉，软。

气 味厚于气，阴也。

臭 臊。

主 传尸，热劳，膈热，肺瘘。

制 研细如粉。

治〔疗〕〔唐本注云〕烧，研为细末，傅紧唇疮，妙。〔日华子云〕止吐血，鼻洪，羸瘦，渴疾。

合治 人中白不限多少，刮在新瓦上，用火逼干，研入麝香少许合酒调下三钱，止血汗，鼻衄，五七日不止者，立愈。○秋石还元丹，补暖悦色，进饮食，益下元。久服去百疾，强骨髓，补血，开心益志。炼人中白方：男子小便十石，更多不妨，先稽大锅灶一副于空屋内，锅上用深瓦甑接锅口令高，用纸筋杵石灰泥却甑缝并锅口，勿令通风。候干，下小便只可于锅中及七八分以来，灶下用焰火煮，专令人看之。若涌出即添冷小便些小，勿令涌出。熬久候干，细研，入好盒子内，如法固济。入炭炉中煅之，旋取三二两再研如粉，煮枣瓤为丸如绿豆大。每服五七丸，渐至十五丸，空心温酒盐汤下。久服，脐下常如火暖，诸般冷疾皆愈。久年冷劳虚惫甚者，服之，皆壮盛。其药末常近火收，或时复养火三五日，功效大也。

# 妇人月水

## 妇人月水解毒箭，并女劳复。名医所录。

治〔疗〕〔陈藏器云〕经衣，主金疮，血涌出，取衣热炙熨之。又烧灰，傅虎、狼伤疮。〔别录云〕女人月经赤衣，烧灰，熟水调服方寸匕，治丈夫热病瘥后，交接复发，忽卵缩入肠，肠中绞痛欲死，立效。○月水，治剥马被骨刺破毒欲死，傅疮口，立效。○妇人月经衣和血，烧灰，水调方寸匕，治阴阳易病。

合治 童女月经衣和血，烧灰，合酒服方寸匕，治霍乱困笃，立愈。○妇人月经衣，烧灰，合酒服方寸匕，治聚血兼箭镞在胸喉间，效。

解 月水同屎汁，解交州夷人以焦铜为镞，毒药于镞锋上，中人即沸烂，须臾骨坏者，效。

# 浣裈汁

浣裈[1]汁解毒箭，并女劳复，亦善。扶南国旧有奇术，能令刀斫不入，惟以月水涂刀便死。此是污秽坏神气也。人合药所以忌触之，此既一种物，故从屎、溺之例。名医所录。

① 裈：原注“音昆”。

# 人精

**人精和鹰屎，亦灭瘢。**名医所录。

治〔疗〕〔别录云〕治金疮，血不止，以精涂之。○治瘤，以精一合，或半合亦得，青竹筒盛火上烧炮之，以器承取汁，密置器中，数傅之，良。

合治 人精合鹰屎白，去面上靥，傅之二日，愈。合白蜜亦得，及治汤、火灼疮，令不痛，速愈。

# 怀妊妇人爪甲

怀妊妇人爪甲取细末置目中，去翳障。名医所录。

治〔疗〕〔唐本注云〕手指甲，能催生。〔衍义曰〕人指甲，治鼻衄，细细刮取，俟血稍定，去瘀血。于所衄鼻中搐之，立愈。独不可备，则众人取之甚善。治衄药并法最多，或效或不效，故须博采以备。道途、田野中用可也。〔别录云〕治忍小便胞转者，取自己爪甲烧灰，水调服之。并妇人淋及尿血，并治之。

# 天灵盖

无毒[1]

天灵盖主传尸，尸疰，鬼气，伏连，久瘴，劳疟，寒热无时者。此死人顶骨十字解者，烧令黑，细研，白饮和服。亦合诸药为散用之。方家婉其名尔。名医所录。

味 咸。

性 平，软。

气 气之薄者，阳中之阴。

治〔疗〕〔陈藏器云〕弥腐烂者入用。有一片如三指阔，此骨是天生天赐，盖押一身之骨，未合即未有，只有囟门。取得后，用塘灰火罨一夜，待腥秽气出尽，却，用童儿溺于瓷锅子中煮一伏时，满，漉出，于屋下掘一坑，深一尺，置天灵盖于中一伏时。其药魂归神妙。阳人使阴，阴人使阳。〔日华子云〕治肺痿，乏力，羸瘦，骨蒸劳及盗汗等，入药酥炙用。〔别录云〕治犬咬众治不瘥，毒攻人烦乱，唤已作吠声者，烧灰为末，以水服方寸匕。诸犬咬疮不瘥，吐白沫者，为毒入心，叫唤似犬声。以髑髅骨烧

① 无毒：原无，据罗马本补。

灰，研以东流水调方寸匕。按天灵盖，《神农本经》人部惟发髲一物，外余皆出后世医家，或禁术之流，奇怪之论，殊非仁人之用心。世称孙真人有大功于世，以杀命治命，尚有阴责。何况于是乎？近数见医家用以治传尸病，未有一效者，信《本经》不用，未为害也。残忍伤神又不急于取效，苟有可见仁者宜尽心焉。苟不以是说为然，决为庸人之所惑乱。设云：非此不可，是不得已，则宜以年深尘泥所渍朽者为良，以其绝尸气也。

# 人髭

人髭唐李绩尝疾，医诊之云：得须灰服之方止。太宗遂自剪髭，烧灰，赐服之，复令傅痈疮，立愈。故白乐天云：剪须烧药赐功臣。仁宗皇帝赐吕夷简：古人有语，髭可治疾，今朕剪髭，与之合药，表朕意。

## 一十种陈藏器余

**人血**主羸病，人皮肉干枯，身上麸片起。又狂犬咬，寒热欲发者，并刺热血饮之。

**人肉**治瘵[1]疾。

**人胞**主血气，羸瘦，妇人劳损，面皯皮黑，腹内诸病，渐悴瘦者。以五味和之，如餺飥[2]法，与服之，勿令知。妇人胞衣变成水，味辛，无毒，主小儿丹毒，诸热毒，发寒热不歇[3]，狂言妄语，头上无辜发竖，虚痞等。此人产后时，衣埋地下七八年，化为水，清澄如真水。南方人以甘草、升麻和诸药，罐盛埋之三五年后拨去，取为药。主天行热病，立效。《梅师方》治草虫，其状入咽刺痛欲死者，取胞衣一具，切，曝干为末，熟水调一钱匕。最疗蛇虫、蜣螂、草毒等。

**妇人裈裆**主阴易病。当阴上割取，烧末，服方寸匕。童女裈益佳。若女患阴易，即须男子裈也。阴易病者，人患时行病起，后合阴阳便即相著，甚于本病。其候：小便赤涩，寒势甚者是。服此，便通利。不尔，灸阴二七壮。又妇人裈，主胞衣不出，覆井口立下。取本妇人者即佳。

---

① 瘵：原作“疗”，据印本改。
② 飥：原注“音甲，饼也”。
③ 歇：原作“渴”，据印本改。

**人胆**主鬼气，尸疰，伏连。

**男子阴毛**主蛇咬，口含二十条，咽其汁，蛇毒不入腹内也。

**死人枕及席**患疣，拭之二七遍，令烂，去疣。尝有妪人患冷滞，积年不瘥。徐嗣伯为诊曰：此尸疰也。当以死人枕席服之乃愈。于是往古冢中取枕。枕已一边腐缺，妪服之即瘥。张景年十五岁，患腹胀，面黄，众药不能治。以问徐嗣伯，嗣伯曰：此石蛔[①]耳，极难疗，当取死人枕煮[②]服之。得大蛔虫，头坚如石者五六升，病即瘥。沈僧翼患眼痛，又[③]多见鬼物。嗣伯曰[④]：邪气入肝，可觅死人枕煮服之，竟，可埋枕于故处，如其言，又愈。王晏问曰：三病不同，皆用死人枕而俱瘥，何也？答曰：尸疰者，鬼气也。伏而未起，故令人沉滞。得死人枕治之，魂气飞越，不复附体，故尸疰自瘥。石蛔者，医疗既癖，蛔虫转坚，世间药不能遣，所以须鬼物驰之。然后乃散，故令煮死人枕服。夫邪气入肝，故使眼痛而见魍魉，须邪物以钩之。故用死人枕之气，因而去之，故令埋于冢间也。

---

① 蛔：原作“疣”，据印本改。

② 煮：原脱，据印本补。

③ 又：原脱，据印本补。

④ 嗣伯曰：原脱，据印本补。

**夫衣带**主难产。临时取五寸烧为末，酒下。裈带最佳。孙真人云[1]治金疮未愈而交接血出不止，取与交妇人衣带二寸烧，研末，水服之。

**衣中故绵絮**主卒下血，及惊疮，出血不止。取一握煮汁，温服之。新绵一两，烧为黑末，酒下，主五野鸡病。

**新生小儿脐中屎**主恶疮，食息肉，除面印字画。候初生，取胎中屎也。初生脐，主疟，烧为灰，饮下之。

本草品汇精要卷之二十二

① 孙真人云：此四字及其下引文小字脱，据印本补。

# 本草品汇精要

## ·卷之二十三·

# 兽部 上品

| | |
|---|---|
| 七种 | 神农本经 朱字 |
| 三种 | 名医别录 黑字 |
| 三种 | 唐本先附 注云唐附 |
| 二种 | 宋本先附 注云宋附 |
| 五种 | 陈藏器余 |

已上总二十种，内三种今增图

龙骨白龙骨、齿、角、吉吊、紫梢花附 麝香

熊脂胆、脑、髓、掌、肉、血附 牛黄

牛角䚡髓、胆、心、肝、肾、齿、肉、屎、溺附，自中品今移

牛乳 酥 酪唐附

乳腐宋附 醍醐唐附，今增图

象牙宋附，齿、肉、睛[①]、胆、胸骨附 阿胶

白马茎眼、蹄、齿、心、肺、肉、骨、屎、溺附，自中品今移并增图

马乳驴乳附 底野迦唐附，今增图

五种陈藏器余

蔡苴机屎[②] 诸朽骨 乌毡

海獭 土拨鼠

① 睛：原作“脂”，据正文改。

② 屎：原无，据正文药名补。

# 本草品汇精要卷之二十三

## 兽部上品

### 〇 鳞虫

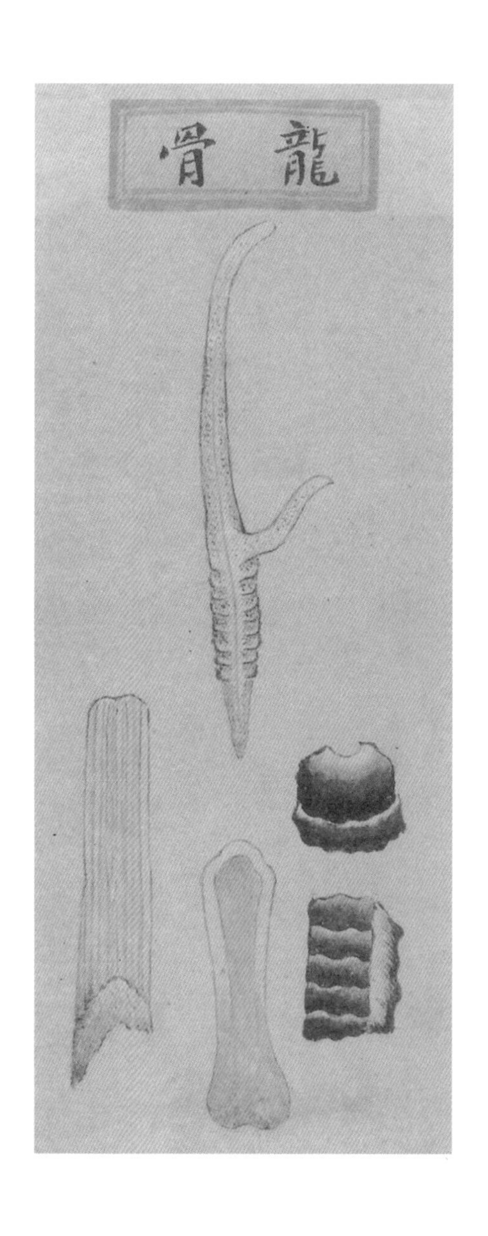


## 龙骨

无毒　附[1]白龙骨、齿、角、吉吊、紫梢花等

龙骨出神农本经。主心腹，鬼疰，精物，老魅，咳逆，泄痢，脓血，女子漏下，癥瘕坚结，小儿热气，惊痫。〇齿，主小儿、大人惊痫，癫疾狂走，心下结气，不能喘息，诸痉，杀精物。〇角，

① 附：原在名末，据义例移于句首。

久服轻身，通神明，延年。以上朱字神农本经。骨，疗心腹烦满，四肢痿枯，汗出，夜卧自惊，恚怒，伏气在心下，不得喘息，肠痈，内疽，阴蚀，止汗，缩小便，溺血，养精神，定魂魄，安五脏。〇白龙骨，疗梦寐泄精。〇齿，小儿五惊十二痫，身热不可近，大人骨间寒热，又杀蛊毒。〇角，主惊痫，瘛[①]疭[②]，身热如火，腹中坚及热泄。以上黑字名医所录。

地〔图经曰〕出晋地川谷及泰山岩水岸土穴中死龙处。今河东州郡、梁邑间、蜀中多有之。其齿小强，犹有齿形。角强而实，及骨并脑须白地锦

① 瘛：原注“尺曳切”。
② 疭：原注“子用切”。

纹，舐之粘舌而具五色者为佳。黄白色者次之，黑色及生硬，或经落不净处者不堪用。其纹细而广者是雌，纹粗而狭者是雄。皆出龙蜕，实非死龙也。然其色有五，与五脏相应，如五芝、五石英、五石脂辈之义，惜乎《本经》而未分耳。若无纹如朽骨者，谓之土龙骨，药不甚须。海人云：龙每生二卵，一为吉吊，多与鹿游。或于水边遗沥，值流槎则粘着木枝如蒲槌状，其色微青黄，复似灰色，号为紫梢花。坐汤多用之。李肇《国史补》云：春水时，至鱼登龙门，蜕其骨，人采之。亦有五色者，况龙门又属晋地，恐今所谓龙骨，乃此鱼之骨乎。〔衍义曰〕诸家之说纷然不一，既不能指定，终是臆度。西京颍阳县民家崖壤，忽得龙骨一副，肢体、头角悉具，不知其蜕也，其毙也。若谓蜕、毙则是有形之物，而又生不可得见，死方可见，谓其化也，则其形独不能化。盖万物所禀各异，造化不可尽知，莫可得而详矣。

时〔生〕无时。〔采〕无时。

用 舐之粘舌者良。

色 锦纹。

味 甘。

性 平，微寒。

气 气之薄者，阳中之阴。

臭 朽。

主 涩精固气。

助 得人参、牛黄良。

反 畏石膏。〔角〕畏干漆、蜀椒、理石。

制〔雷公云〕凡使，先以香草煎汤浴过两度，打研如粉，用绢袋子盛粉末子，以燕子一只擘破腹，去肠，安骨末袋于燕腹内，悬于井面上一宿，至明取骨末，重研万下用之。

治〔疗〕〔图经曰〕齿、角兼用，治心。○烂龙角，除心热，风痫。〔药性论云〕骨，逐邪气，安心神，止冷痢，女子崩中带下及夜梦鬼交，虚而多梦纷纭。○齿，镇心，安魂魄。○齿、角，主小儿热。〔日华子云〕骨，健脾，涩肠胃，止泻痢，渴疾，怀孕，漏胎，肠风下血，鼻洪，吐血，止汗。

合治 骨合虎骨、远志为末酒服，治好忘，聪明，益智。○合韭子为末酒服，止失精，暂睡即泄。

# 麝香

无毒　胎生

麝香出神农本经。主辟恶气，杀鬼精物，温疟，蛊毒，痫痓，去三虫。久服除邪，不梦寤、魇寐。以上朱字神农本经。**疗诸凶邪，鬼气，中恶，心腹暴痛，胀急，痞满，风毒，妇人产难，堕胎，去面䵳[1]，目中肤翳，通神仙。**以上黑字名医所录。

---

① 䵳：原注“音孕”。

名 麝父。

地〔图经曰〕出中台山谷及益州、雍州山中，今陕西、益、利、河东诸路山中皆有之，而秦州、文州诸蛮中尤多。形似獐而小，常食柏叶。其香正在阴前皮内，别有膜裹之。春分取其生者益良。蛮人采得以一子香，刮取皮膜杂内余物，裹以四足膝皮，共作五子，而土人买得，又复分揉一为二三，其伪可知。惟生得之乃为真尔。商、汝山多群[1]麝，所遗粪常就一处，虽远近逐食，必还走其地，不敢遗迹他所，虑为人获。人反以是求得，必掩群而取之。盖麝绝爱其脐，每为人所逐，势急即投岩，举爪剔裂其香，就絷而死，犹拱四足保其脐。李商隐云：投岩麝退香。许浑云：寻麝采生香，正此谓也。蕲光山中或时亦有，然其香绝小，一子才若弹丸，往往是真香。盖彼人不甚能作伪尔。一说香有三种，第一生香，麝子夏食蛇虫多，至寒则香满。入春，脐内急痛，自以爪剔出之，落处远近草本皆焦黄，此极难得。今人带真香过园中，瓜果皆不实，此其验也。其次脐香，乃捕得杀取者。又其次心结香，麝被大兽捕逐，惊畏失心狂走，颠坠岩谷而毙。人得之，破心见血流出作块者是也，此香干燥不可用。又有一种水麝，其香更奇好，脐中皆水，沥一滴于斗水中用濯衣，其衣至敝而香不歇。唐天宝虞人尝获一水麝，诏养于囿中，每取以针刺其脐，捻真雄黄涂之，复合。其香气倍于肉麝。近岁不复闻有之。

时〔生〕无时。〔采〕春分取。

收 以瓷器收贮。

色 黑。

---

① 群：原作“郡”，据《证类本草》改。

味 辛。

性 温，散。

气 气之厚者，阳也。

臭 香。

主 辟邪秽，通关窍。

制〔雷公云〕凡使麝香，并用子。日开之，不用苦。细研，筛用之也。

治〔疗〕〔陶隐居云〕祛蛇毒，辟恶梦及尸疰，鬼气。〔药性论云〕除百邪魅，鬼疰，心腹痛，小儿惊痫，客忤，镇心安神，止小便利，蚀一切痈疮脓。〔日华子云〕催生，杀脏腑虫，制蛇、蚕咬，沙虱溪瘴毒，吐风痰，内子宫，暖水脏，止冷带疾。〔别录云〕除百病，一切恶气。

合治 合乳汁调服，疗中水气，已服药未平除。○合墨研，书额上，去邪魔，治疟，有效。○合醋研服，治中恶，客忤，垂死，瘥。

禁 妊娠不可服。

忌 大蒜。

解 蛇毒。

○ 毛虫

# 熊脂

无毒 附胆、脑、髓、掌、肉、血 胎生

熊脂出神农本经。主风痹不仁，筋急，五脏腹中积聚，寒热，羸瘦，头疡，白秃，面皯皰。久服强志，不饥，轻身，长年。以上朱字神农本经。食饮呕吐。以上黑字名医所录。

地〔图经曰〕出雍州山谷，今雍洛、河东及怀卫山中皆有之。其形类大豕而性轻捷，好攀缘上高木，见人则颠倒，自投地而下。冬则入穴藏蛰，至春而出。其脂谓之熊白也，十一月取之，须其背上者。寒月则有，夏月则无。其腹中肪及他处脂，煎炼亦可入药而不中啖。胆亦多伪，欲试之，取粟颗许滴水中，一道若线不散者为真。蹯即掌也，为八珍之一，古今最重之。但胹[①]之难熟，多食令人耐寒。熊性恶盐，食之则死。

时〔生〕无时。〔采〕十一月取脂。

收〔脂〕以瓷器盛贮。〔胆〕阴干。

用 脂、胆、脑、髓、掌、肉、血。

色 白。

味 甘。〔胆〕苦。〔肉〕甘。

性 微寒。〔胆〕寒。〔肉〕平。

气 气之薄者，阳中之阴。

臭 腥。

主 补虚损，除风痹。

反〔胆〕恶防已、地黄。

制〔雷公云〕凡收脂后炼过，就器中安生椒，一斤熊脂入生椒十四个，炼了，去脂革并椒，入瓶中收，任用。

治〔疗〕〔唐本注云〕胆，除热盛变为黄疸，暑月久痢，疳䘌，心痛，疰忤。〇脑，除诸聋。〇血，小儿客忤。〇脂，长发令黑，悦泽人面。酒炼服之，瘥风痹。〔药性论云〕胆，消小儿五疳，杀虫，涂恶疮。〇脂，去面上鼾黵及涂疮。〔日华子云〕白，祛风，

---

① 胹：原注“参之切，煮熟也”。

杀劳虫。○脂，强心。○脑髓，去白秃，风屑，头旋并落发。○掌，食御风寒。○胆，涂痔疮，耳鼻疮及疳疾。〔别录云〕肉，除风痹，筋骨不仁。○骨，煮汤，浴历节风及小儿客忤。○胆，小儿惊痫。

合治 胆，合乳汁并竹沥，疗小儿惊痫，瘛疭，去心中涎，良。

禁 熊脂燃灯损人眼光。○十月勿食肉，食之伤神。○有痼疾人，不宜食熊肉，令终身不愈。○腹中有积聚寒热者，食熊肉永不除。

○ 毛虫

# 牛黄

有小毒　胎生

牛黄出神农本经。主惊痫，寒热，热盛狂痓[1]，除邪逐鬼。以上朱字神农本经。疗小儿百病，诸痫热，口不开。大人狂癫，又堕胎。久服轻身，增年，令人不忘。以上黑字名医所录。

---

① 痓：原作“痊”，据印本改。

**地**〔图经曰〕出晋地平泽，今出登、莱、密、淄、青、嶲、戎州。它处或有不甚佳。凡牛有黄者，皮毛光泽，眼如血色，时复鸣吼，又好照水。人以盆水承之，伺其吐出乃喝迫，即堕落水中。既得之，阴干百日。一子如鸡子黄大，其重叠可揭析，轻虚而气香者佳。然此物多伪，今人试之，皆揩磨手甲上，以透甲黄者为真。又云：此有四种，喝迫而得者，名生黄；其杀死而在角中得者，名角中黄；心中剥得者，名心黄，初在心中如浆汁，取得便投水中，沾水乃硬如碎蒺藜或皂荚子是也；肝胆中得之者，名肝黄。大抵皆不及喝迫得者最胜。〔唐本注云〕黄有三种：散黄，粒如麻豆；慢黄，若鸡卵中黄，糊在肝胆；圆黄，为块，形有大小，并在肝胆中。多生于犊[1]、特牛，其吴牛未闻有黄也。〔衍义曰〕亦有骆驼黄，皆西戎所出也。骆驼黄极易得，医家当审别考而用之，为其形相乱也。黄牛黄性轻松自然，微香，以此为异。若牦[2]牛黄则坚而不香也。

**时**〔生〕无时。〔采〕无时。

**收** 阴干百日，使时燥，无令见日月光。

**用** 喝迫吐出者最佳。

**质** 类鸡子黄而轻松可析。

**色** 黄。

**味** 苦。

**性** 平。〔日华子云〕凉。

**气** 味厚气薄，阴中之阳。

**臭** 香。

**主** 宁心神，除痫热。

**助** 人参为之使。

**反** 恶龙骨、地黄、龙胆、蜚蠊、常山，畏牛膝、干漆。

**制**〔雷公云〕凡使，用须先单捣细，研如尘，却，以绢裹，又用黄嫩牛皮裹，安于水面上，去水三四尺已来，一宿至明，方取用之。

---

① 犊：原注“音秦”。
② 牦：原注“音茅”。

治〔疗〕〔药性论云〕辟邪魅，安魂定魄，小儿夜啼，又卒中恶。〔日华子云〕中风，失音，口噤，惊悸，天行时疾，健忘，虚乏。

合治 合竹沥调，敷初生小儿口噤。○合乳汁调，脐下书田字，疗小儿腹痛，夜啼。○合蜜水调服，疗小儿惊痫不知，迷闷，嚼舌，仰目。○合牡丹、菖蒲，利耳目。

禁 妊妇勿服。

赝 骆驼黄为伪。

# 牛角䚡

无毒　附髓、胆、心、脾、肾、齿、肉、屎、溺

牛角䚡出神农本经。主下闭血，瘀血，疼痛，女人带下血。〇髓，补中，填骨髓，久服增年。〇胆，可丸药。以上朱字神农本经。水牛角，味苦，冷，无毒，疗时气寒热头痛。〇髓，味甘，温，无毒，主安五脏，平三焦，温骨髓，补中，续绝伤，益气，止泄痢，消渴，以酒服之。〇胆，味苦，大寒，除心腹热渴，利口焦燥，益目精。〇心，主虚忘。〇肝，主明目。〇肾，主补肾气，益精。〇齿，主小儿牛痫。〇肉，味甘，平，无毒，主消渴，止啘泄，安中益气，养脾胃，自死者不良。〇屎，寒，主水肿，恶气。用涂门户。著壁者燔之，主鼠瘘，恶疮。〇黄犍牛、乌牯牛溺，主水肿，腹胀，脚满，利小便。以上黑字名医所录。

地〔陈藏器云〕《本经》不言黄牛、乌牛、水牛，但言牛。牛有数种，南人以水牛为牛，北人以黄牛、乌牛为牛。牛种既殊，

人用亦别。故乳及溺、屎去病者，黑牛胜于黄牛也。〔孟诜云〕牛者，稼穑之资，不多屠杀。自死者，血脉已绝，骨髓已竭而不堪食。黄牛发药动病不如水牛也，惟酥乳佳。黑牛尤不可食，但其屎及尿宜入药用。

**收** 取牛涎，以水洗口后盐涂之，则重吐出，收用。

**用** 角鰓、心、肝、肾、肉、胆、齿、头、蹄、尿、屎、鼻、牛茎、口中涎、口中齝草、髓、耳中垢、毛、鼻中木卷、草卷。

**味** 黄牛角鰓，苦、甘。○沙牛角鰓，苦。

**性** 黄牛角鰓，涩。○沙牛角鰓，温。

**气** 味厚于气，阴中之阳。

**臭** 腥。

**主** 消瘀血，止带下。

**制** 烧灰用。

**治** 〔疗〕〔图经曰〕沙牛角鰓灰，涂乳上令儿吮之，治饮乳不快觉似喉痹者。○乌特牛溺，除脚气，少腹胀，小便涩。○黄犍牛溺，下水肿。○屎，烧灰，傅炙疮。○口中涎，止反胃。○老牛涎沫，主噎。○口中齝[1]草，绞汁服，止哕。〔唐本注云〕鼻中木卷，治小儿痫。○草卷，烧屑，傅小儿鼻下疮。○耳中垢，涂蛇伤，恶蚝[2]毒。○脐中毛，治小儿久不行。○白牛悬蹄，止妇人崩中，漏下，赤白。○屎，止霍乱。○屎中大豆，除小儿痫及妇人产难。○特牛茎，治妇人漏下，赤白，无子。○脑，止消渴，除风眩。○齿，主小儿惊痫。○屎，止消渴，黄疸，水肿，脚气，小便不通。〔药性论云〕

① 齝：原注“丑之反”。
② 蚝：原注“七吏切”。

黄牛角鰓，止妇人崩中，赤白带下及冷痢，泻血。○青牛胆，止消渴，利大小便。〔日华子云〕水牛角煎，治热毒风并壮热。○角鰓烧焦，止肠风，泻血痢，崩中，带下，水泻。○涎，止呕吐。○黄牛骨髓，止吐血，鼻洪，崩中，带下，肠风泻血并水泻，烧灰用。〔陈藏器云〕牛肉，消水肿，除湿气。○黄牛、水牛角鰓灰，主赤白痢。〔孟诜云〕乌牛干粪，止小儿夜啼，取如手大，置卧席下。勿令母知，子母俱吉。○头蹄，下风热。〔衍义曰〕白水牛鼻，治偏风口㖞斜，以火炙热，于不患处一边熨之，渐正。〔别录云〕牛鼻作羹，妇人空心食之，乳汁即下。○乌牛耳中垢，敷疳虫，蚀鼻生疮。〔补〕〔陈藏器云〕黄牛肉，补虚，令人强筋骨，壮健，益腰脚。

合治 沙牛角鰓烧灰，合酒服，疗喉痹肿塞欲死者。○黄牛胆合天南星末，消痰，除风。○黑牛髓合地黄汁、白蜜作煎服，治瘦病。○腊月牯牛胆入黑豆浸百日，每夜服二七粒，镇肝明目。○肝合腹内百叶、生姜、醋食之，疗热气，水气，丹毒，压丹石发热，解酒劳。○鼻合石燕煮汁服，疗消渴。

禁 牛自死者，发痼疾，痃癖，令人成疰病。头蹄，患冷疾人不可食。独肝者，有大毒，食之，痢血至死。北人牛瘦，多以蛇从鼻灌之则为独肝也。水牛则无之。

忌 青牛肠不可共犬肉、犬血食，令人成病。

# 牛乳

无毒

## 牛乳主补虚羸，止渴。名医所录。

地〔唐本注云〕榛牛、水牛南北皆有之。榛牛乳为佳而不用新饮者。水牛乳，造石蜜须用之，及作酪浓厚，味胜于榛牛也。

时〔生〕无时。〔采〕无时。

收 瓷器收贮。

色 白。

味 甘。

性 微寒。

气 气之薄者，阳中之阴。

臭 膻。

主 止渴，润燥。

制 凡使乳，必煮一二沸，停冷啜之，热食即壅。

治〔疗〕〔日华子云〕黄牛乳髓，润皮肤，养心肺，解热毒。〔陈藏器云〕下热气，止渴。〔别录云〕除胃中热，心、脾中热，下焦虚冷，小便多，渐羸瘦。〔补〕〔别录云〕补虚羸。

合治 合酥煎数沸，待冷服，去冷气，痃癖，羸瘦。○合姜汁银石器中煎数沸服，治小儿烦，热秽。

禁 熟饮，令人口干。患冷气人不宜服之。犊牛乳生饮，令人利。

忌 与生鱼食之则作瘕，与酸物同食令人腹中结癥。

解 热毒。

# 酥

无毒

**酥补五脏，利大肠，主口疮。**名医所录。

地〔陶隐居云〕出外国，亦从益州来。今南北皆有之，是牛羊乳而成。作之自有法。盖酪成于乳，酥成于酪，堪作饼食之，甚肥甘。〔唐本注云〕酥，掏[①]酪作之，其性犹与酪异。然有牛酥、羊酥，而牛酥甚于羊酥。其牦[②]牛复优于家牛也。

时〔生〕无时。〔采〕无时。

收 瓷器盛贮。

用 冬月取者佳。

色 白。

味 甘。

性 微寒。

气 气之薄者，阳中之阴。

臭 膻。

---

① 掏：原注“他劳切”。

② 牦：原注“音茅”。

主 益心肺，润毛发。

治〔疗〕〔日华子云〕酥，止渴及嗽，除肺痿，心热并吐血。〔孟诜云〕除胸中热，利肠胃。〔别录云〕傅蜂螫。

合治 合诸膏，磨风肿、踠跌血瘀。○合盐，傅恶虫咬。

# 酪

无毒

**酪主热毒，止渴，解散发利，除胸中虚热，身面上热疮，肌疮。**名医所录。

地〔图经曰〕旧本不载所出州郡，今南北多有之，牛、马、驴、羊乳大抵功用相近，惟驴乳性冷利，不堪作酪。羊乳温补。马乳作酪为佳，不若牛乳为上也。

时〔生〕无时。〔采〕无时。

收 以瓷器贮之。

色 白。

味 甘、酸。

性 寒。

气 气薄味厚，阴中之阳。

臭 膻。

治〔疗〕〔日华子云〕牛酪止烦渴热闷，心膈热痛。〔别录云〕牛酪消热毒，除胸中热。及蚰蜒入耳，灌耳中即出。若入腹，饮酪自消为黄水。

合治 合盐热煮，磨丹毒，瘾疹即消。

禁 患冷人勿食羊乳酪。○患痢人亦不可食。

# 乳腐

无毒

乳腐润五脏，利大小便，益十二经脉，微动气。细切如豆，面拌醋、浆水煮二十余沸，治赤白痢，小儿患服之弥佳。名医所录。

地 南北皆有之。
时〔生〕无时。〔采〕无时。
用 细腻不去酥者佳。
色 白。
味 甘。
性 微寒。
气 气之薄者，阳中之阴。
臭 膻。
禁 多食动气。

# 醍醐

无毒

醍醐主风邪痹气，通润骨髓。名医所录。

**地**〔图经曰〕旧不载所出州土，今南北皆有之。此酥中之津液也，功优于酥。好酥一石，止有醍醐三四升。熟抨[①]炼，贮器中待凝，穿中至底，便津出而得之。《蜀本》云：一说在酥中，盛冬不凝，盛夏不融者是也。〔衍义曰〕作酪时，上有一重凝者为酪面，酪面上其色如油者为醍醐，熬之即出，不可多得，极甘美。虽如此取之，用处亦少，惟润养疮痂最相宜也。

**时**〔生〕无时。〔采〕无时。

**收** 性滑，以物盛之皆透。惟鸡子壳及葫瓢盛之不出。

**色** 白。

**味** 甘。

**性** 平、寒。

**气** 气之薄者，阳中之阴。

**臭** 膻。

**主** 润心肺，泽肌肤。

**制**〔雷公云〕凡使，以绵重滤过于铜器中，沸三两沸了，用。

**治**〔疗〕〔日华子云〕止惊悸，心热，头疼，明目，傅脑顶心。〔衍义曰〕润养疮痂。〔别录云〕散风邪，通润骨髓及肺病，咳嗽，脓血不止。

**合治** 合酒调服，疗中风烦热，皮肤瘙痒，及补虚，去风湿痹。

---

① 抨：原注“普耕切”。

○ 毛虫

# 象牙

无毒 附齿、肉、睛、胆、胸骨 胎生

象牙主诸铁及杂物入肉，刮取屑，细研和水，傅疮上，及杂物刺等立出。○齿，主痫病，屑为末，炙黄饮下。○肉，味淡，不堪啖。多食令人体重，主秃疮，作灰和油涂之。○睛，主目疾，和乳滴目中。○胸前小横骨，令人能浮水，作灰，酒服之。名医所录。

**地**〔图经曰〕出交趾，潮、循等州。其兽孕五岁始产，六十岁骨方足。身有百兽肉，自有分段，或曰身具十二肖肉，配十二辰。惟鼻是其本肉，鼻端有爪，可拈针芥。胆不附肝，随四季而在四腿。春在前左，夏在前右，如龟定体。《太平广记》云：安南有象，能知人曲直。有斗讼者，行立而嗅之。有理者则过，无理者以鼻卷之掷空数丈，以牙接而刺之。即若豸之触奸，草之指佞。盖物性之灵而所禀刚正之气然耳。

**用**牙、齿、骨、肉、睛、胆。

**色**白。

**味**淡。

**性**平。

**气**气之薄者，阳中之阴。

**臭**朽。

**制**刮细屑用。

**治**〔疗〕〔图经曰〕治咽中刺，刮屑，水调服。〔日华子云〕治小便不通，生煎服之。小便多，烧灰饮下。○胆，明目及治疳。〔别录云〕胆，水和涂疮肿，瘥。又口臭，每夜水研少许，绵裹，贴齿根或含之，平明，暖水洗口，如此三五度，瘥。

**合治**合白梅肉，傅小儿误为诸骨及鱼骨刺入肉不出者。○合琥珀、竹膏、珍珠、犀角、牛黄，治风痫热，骨蒸劳，诸疮。○胆，合乳滴目中，疗目疾。

**禁**多食肉，令人体重。

# 阿胶

无毒 熬成

阿胶出神农本经。主心腹内崩，劳极洒洒[①]如疟状，腰腹痛，四肢酸疼，女子下血，安胎。久服轻身，益气。以上朱字神农本经。丈夫小腹痛，虚劳羸瘦，阴气不足，脚酸不能久立，养肝气。以上黑字名医所录。

---

① 洒：原注"音藓"。

**名** 傅致胶、盆覆胶。

**地** 〔图经曰〕出东平郡之东阿，故名阿胶也。其法：以阿县城北井水煮乌驴皮成之。其井官禁，民间真者最为难得。今之市者，形色制作颇精，入药未闻其效。盖不得此井水故耳。大抵驴皮得阿井水煎者乃佳也。其余但可胶物，不堪药用。

**时** 无时。

**收** 阴干。

**用** 明净者佳。

**色** 黑绿。

**味** 甘。

**性** 平、微温。

**气** 气厚味薄，阳也。

**臭** 腥。

**主** 益肺，安胎。

**行** 手太阴经、足少阴经、厥阴经。

**助** 山药为之使，得火良。

**反** 畏大黄。

**制** 〔雷公云〕凡使，先于猪脂内浸一宿，至明出。于柳木火上炙，待泡了，细研用。

今以剉如麻豆大，与蛤粉同入锅内炒令成珠，方入药用。

**治**〔疗〕〔药性论云〕止痢。〔陈藏器云〕治风为最。○诸胶，祛风止泄。〔补〕〔药性论云〕坚筋骨，益气。〔陈藏器云〕补虚。〔汤液本草云〕和血脉，补肺金不足。

**合治** 炒令黄燥为散，每食前以粥饮调下二钱匕，疗妊娠尿血。○以三两炒，捣末，和酒一盅半煎令消化，疗妊娠无故卒下血不止，一服即愈。○以二两合酒一盅半，煮取一盅顿服，疗妊娠血痢。

# 白马茎

无毒　附眼、蹄、齿、心、肺、肉、骨、屎、溺

白马茎出神农本经。主伤中，脉绝，阴不起，强志益气，长肌肉，肥健，生子。○眼，平，主惊痫，腹满，疟疾，当杀用之。○悬蹄，平，主惊邪，瘛疭，乳难，辟恶气，鬼毒，蛊疰不祥。以上朱字神农本经。白马茎，治小儿惊痫。○悬蹄，止衄血，内漏，龋齿。○白马蹄，味甘，平，热，无毒，疗妇人瘘下，白崩。

〇赤马蹄，疗妇人赤崩。〇齿，主小儿惊痫。〇鬐头膏，平，主生发。〇鬐毛，主女子崩中，赤白。〇心，主喜忘。〇肺，主寒热，茎痿。〇肉，味辛，苦，冷，有毒，主热，下气，长筋，强腰脊，壮健，强志，轻身不饥。〇脯，疗寒热痿痹。〇屎，微温，主妇人崩中，止渴及吐下血，鼻衄，金疮，止血。〇头骨，微寒，主喜眠，令人不睡。〇溺，味辛，微寒，主消渴，破癥坚积聚，男子伏梁，积疝，妇人瘕疾，铜器承饮之。以上黑字名医所录。

**地**〔图经曰〕出云中平泽，今处处有之。马之色类甚多，以纯白及口、眼、蹄皆白者是也。然百数中时两三尔。按陈藏器云：凡收白马茎，当以游牝时，力势正强而生取得者为佳。尿、屎入药亦以白马者良。

**时**〔生〕无时。〔采〕春月。

**收** 阴干百日。

**用** 茎、眼、白马蹄、悬蹄、心、脯、肺、齿、鬐头膏、鬐毛、肉、溺、屎、头骨、赤马蹄。

**味** 咸、甘。

**性** 平。

**气** 气厚于味，阳中之阴。

**臭** 臊。

**主** 强阴，益气。

**制**〔雷公云〕凡用，以铜刀劈破作七片，将生羊血拌蒸半日，出，晒干，以粗布拭上皮并干羊血，细剉用之。

**治**〔疗〕〔唐本注云〕马毛，止小儿惊痫。○白马眼，辟小儿魃病，令母带之。○屎中粟，治金疮及小儿客忤，寒热，不能食。○绊绳，主小儿痫，作汤洗之。〔药性论云〕白马茎，主男子阴痿。〔日华子云〕头骨，治多睡，作枕枕之。及烧灰，傅头、耳疮。○尿，洗头疮，白秃。〔陈藏器云〕屎，绞汁，治伤寒时疾，服之当吐下。及产后诸血气并时行病起，合阴阳垂死者，并温服之。〔孟诜云〕悬蹄，主惊痫。○赤马蹄，辟瘟疟。○鬃，烧灰，止血并傅恶疮。〔食疗云〕马汗，入人疮，毒气攻心，闷绝者，以粟杆草烧作灰，淋取浓灰汁热煮蘸疮，于灰汁中须臾白沫出尽，即瘥。白沫者，是毒气也。〔别录云〕粪，水煮绞汁，溃毒热攻手足肿，疼痛欲脱者。○骨作末，傅乳上令儿饮，止小儿夜啼不已。○白马悬蹄，切碎，塞患齿龋不过三度，瘥。○白马尿，取三升，空心饮之，疗肉癥，思肉不已，食讫复思。法当吐肉，不吐即死，及治鳖瘕。○马蹄屑二两缝囊，男左女右带之，辟瘟疫。○夜眼如米大，以绵裹内蛀齿孔中，治齿痛。○头骨，烧灰为末，水服方寸匕，日三夜一，疗人嗜眠喜睡。○粪，烧灰为末，研傅马咬人伤，或刺破疮及马汗入疮毒痛者，或马尿洗亦佳。○尾，烧于小儿面前，令儿咽烟气。疗小儿中马毒及客忤，每日烧之，以瘥为度。○肉烂煮汁，洗豌豆疮，或煮干脯亦得。○溺，涂乳肿立愈。○黑驳马尿，热浸刺疮，当虫出，愈。○马骡湿粪，炒分取半替换，热熨杖疮并打损疮，中风疼痛处，冷则易之，满五十过，极效。○赤马皮，疗难产。临产铺之，令产母坐上即易生。

**合治** 白马茎阴干为末，合苁蓉蜜丸，空心酒下四十丸，日再服。主益丈夫阴气。○骨作灰，合醋傅小儿头疮，亦主身上疮并白秃疮。

○白马蹄烧灰为末，合腊月猪脂，和傅头赤秃。○尿三升烧令烟尽，合酒三斗，煮三沸去滓，浴小儿卒中，客忤。○蹄烧作灰末，合猪脂，涂绵上，导下部，日数度，疗病人齿无色，舌上白，或喜睡愦愦不知痛痒处，或下痢。可急治下部，不晓此者，但攻其上，不以下为意。下部生虫，食其肛门烂，见五脏便死者，瘥。○野马肉一斤细切，合豉煮汁，著五味葱白调和，作腌腊食之，或作羹粥及白煮吃之，能治马痫动发无时，筋脉不收，周痹，肌肉不仁。○蹄灰合猪脂，和傅天行䘌疮，日五六次。○马通绞取汁一盏，合酒和服之，疗产后寒热，心闷极胀并百合[1]。○粪合齿共研烂，傅多年恶疮不瘥，或痛或痒，及生䘌者不过三两度，良。○牙烧作灰，合唾摊绯帛上，贴疔肿，根出。

禁 马心，患痢人不得食。骏马肉食之，不饮酒杀人。马肝及鞍下肉食之，杀人。白马青蹄亦不可食。马黑脊而斑，臂漏不可食。患疮疥人，切不可食马骨，伤人。马汗、马气、马尾并能为害。马自死，肉不可食。五月勿食，伤神。白马黑头食之，令人癫，及生马血入人肉中，多只三两日便肿，连心则死。有人剥马，被骨伤肉中，一夜致死。蹄无夜眼者勿食。马生疥者不可食，食之生寸白虫。妇人怀妊不得食马肉，为其十二月胎，恐产迟故也。

解 食诸马肉心闷，饮清酒即解，浊酒即加。食血亦饮美酒解之。

忌 马肉不与姜同食，生气嗽及忌苍耳、生姜同食。又勿与仓米同食，必卒得恶疾。

① 合：原作“病”，据科本改。

# 马乳

无毒　附驴乳[1]

马乳止渴。名医所录。

地〔陶隐居云〕今人不甚服，当缘难得也。〔唐本注云〕马乳与驴乳性同冷利，马乳作酪尤为酷冷。江南乏马乳，今俱合是冷委言之，胡言马酪性温，饮之消肉，当以物类自相制伏，不拘冷热也。

时〔采〕无时。

收 以瓷器盛贮。

色 白。

味 甘。

性 冷利。

气 气之薄者，阳中之阴。

臭 腥。

治〔疗〕〔唐本注云〕祛热，消肉积。○驴乳，治微热黄及小儿中热惊，热服之。

忌 不可与生鱼同食，食之成瘕疾。

① 附驴乳：原作“驴乳附”，据义例改。

# 底野迦

无毒

底野迦主百病，中恶，客忤，邪气，心腹积聚。名医所录。

**地**〔图经曰〕出西戎，彼人用诸胆合和作之，状似久坏丸药，赤黑色。今海南或有之。〔唐本注云〕胡人时将至，此甚珍贵，试用有效。

**收** 瓷器贮之。

**质** 状如久坏丸药。

**色** 赤黑。

**味** 辛、苦。

**性** 平。

**气** 气薄味厚，阴中之阳。

**臭** 腥。

## 五种陈藏器余

**蔡苴机屎**主蛇虺毒。两头鹿屎也。出永昌郡，取屎以傅疮。《博物志》云：蔡余义兽，似鹿，两头。其胎中屎四时取之，未知今有此物否。蔡苴机，余义也。范晔《后汉书》云：云阳县有神鹿，两头，能食毒草。《华阳国志》曰：此鹿出云阳南郡熊舍山，即此余义也。

**诸朽骨**主骨蒸。多取净洗，刮却土气，于釜中煮之，取桃、柳枝各五斗煮，枯棘针三斗煮减半，去滓，以酢浆水和之，煮三五沸，将出。令患者散发正坐，以汤从顶淋之，唯热为佳。若心闷，可进少冷饭，当得大汗，去恶气，汗干可粉身。食豉粥，羸者少与。又东墙腐骨，醋磨涂痕得灭，及除疬疡风，疮癣白烂。东墙，墙之东，最向阳也。

**乌毡**无毒。主火烧生疮，令不著风水，止血，除贼风。烧为灰，酒下二钱匕，主产后血下不止，久卧吸人脂血，令人无颜色，上气。

**海獭**味咸，无毒。主人食鱼中毒，鱼骨伤人，痛不可忍，及鲠不下者，取皮煮汁服之。海人亦食其肉。似獭，大如犬，脚下有皮，如人胼拇。毛著水不濡。海中鱼獭、海牛、海马、海驴等皮毛在陆地皆候风潮，犹能毛起。《博物志》有此说也。

**土拨鼠**味甘，平，无毒。主野鸡瘘疮。肥美，煮食之宜人。生西蕃山泽，穴土为窠，形如獭。夷人掘取食之。《魏略》曰：大秦国，出辟毒鼠。近似此也。

本草品汇精要卷之二十三